Iwanami Junior Start Books ジュニスタ

君の物語が君らしく

自分をつくるライティング入門

SAWADA Eisuke
澤田英輔

岩波書店

この本の内容

■著者《ちょしゃ》の澤田英輔《さわだえいすけ》さんは、長野県の、幼稚園児《ようちえんじ》から中学生まで一緒《いっしょ》にすごす学校で働いています。

■この本は、他人と比《くら》べたり、他人の評価《ひょうか》に縛《しば》られたりするのではなく、自分のために、自分らしく文章を書くことを提案《ていあん》します。

■文章を書くことがきっと楽しくなります。

目次

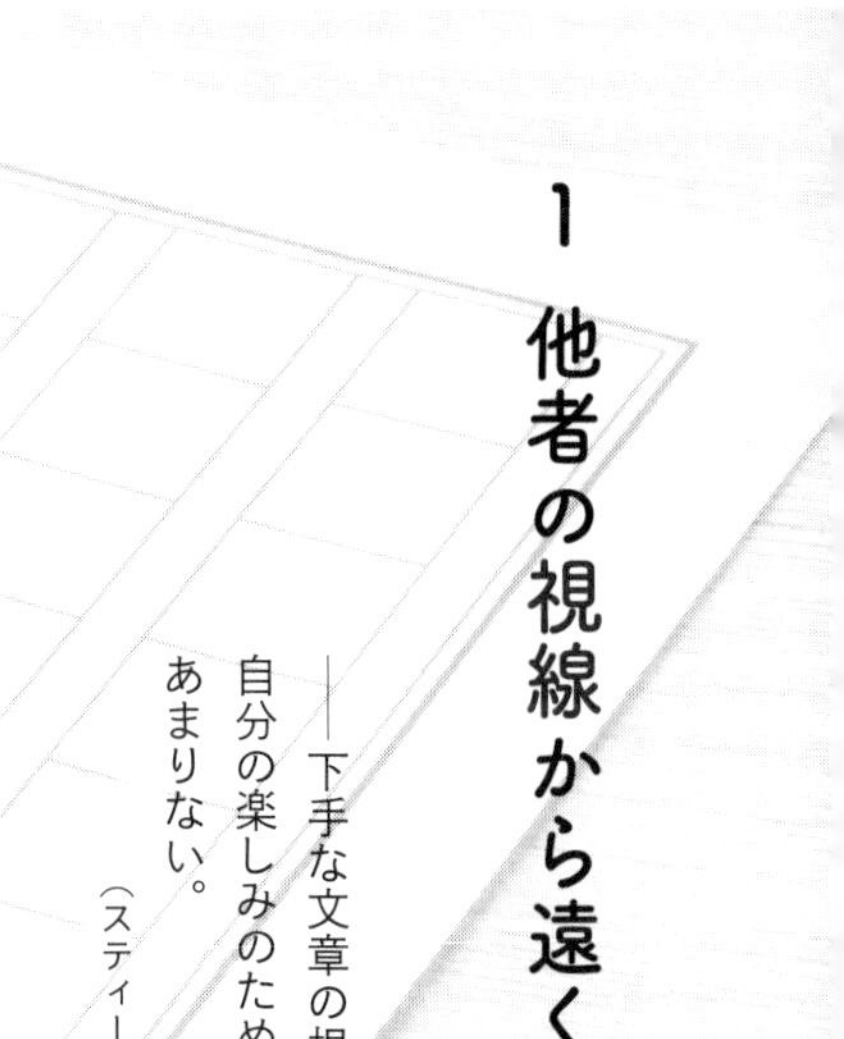

1　他者の視線から遠く離れて

——下手な文章の根っこには、たいてい不安がある。自分の楽しみのために書くなら、不安を覚えることはあまりない。
（スティーヴン・キング『書くことについて』170頁）

1　書くのが得意って、どういうこと？

書くこと。鉛筆《えんぴつ》でも、ペンでも、キーボードでもいい。自分の考えや思いを、白い用紙やディスプレイの上に広げて、目に見えるようにすること。そんな「書くこと」に、あなたはどんなイメージを持っていますか。

こう聞かれた時、多くの人が思い出すのは、学校の授業《じゅぎょう》や課題で「書かされた」経験《けいけん》かもしれません。夏休みの読書感想文、総合学習《そうごう》のレポートや、社会科見学のお礼の手紙。国語の「走れメロス」を読む授業《じゅぎょう》の最後に、友情について書いた人もいるはず。そうした経験《けいけん》を、面倒《めんどう》くさいや苦手などのネガティヴな感情とともに思い出す人もいるでしょう。逆《ぎゃく》に、「自分はよく褒《ほ》められた」という人もいるかもしれない。

ただ、僕《ぼく》がこの本で伝えたいのは、得意な人はすごいねとか、苦手な人はこの本を読むと得意になるよとか、そういうことではありません(実際《じっさい》に、この本を読んでも上手な文章が書けるようにはなりません)。

代わりに僕《ぼく》が差し出したいのは、この「書くことが得意/苦手」ってどういうことなのか、という問いです。特に「得意」と言う人には考えてほしい。あなたはなぜ、自分は書くことが得意と思い込《こ》んでしまったのかを。

おそらくそれは、先生に褒《ほ》められたとか、クラスメートよりも速くたくさん書けるとか、作文コンクールで入賞したとか、そんな理由のはず。逆《ぎゃく》に苦手な人はその反対で、作文の課題で何をどう書けばいいのかわからなくていっこうに鉛筆《えんぴつ》が進まず、書いても褒《ほ》められないか、どうせ本当はいいと思っていないような嘘《うそ》っぽい褒《ほ》め言葉をもらうばかり。すらすらと書く人をうらやましく眺《なが》め、授業《じゅぎょう》で作文の読み合いがあれば、その人からあれこれ助言をされて自分の下手さを自覚する。そんな体験を積んできたのかもしれません。

でも、この「書くことが得意な人／苦手な人」には、どちらにも共通する点があります。それは、書くことを、他人との比較《ひかく》で、「自分は得意だ」「苦手だ」と思い込《こ》んでいることです。他人との比較《ひかく》は、あなたを縛《しば》る呪文《じゅもん》のようなもの。苦手な人は、いくら自分が頑張《がんば》って言葉を紡《つむ》ぎ出しても、常《つね》に「その上」がいるのだから、苦手意識《いしき》は消えない。逆《ぎゃく》に、得意な人だって、狭《せま》い教室を一歩出て自分よりも得意な人に出会った途端《とたん》に、その自信は吹《ふ》っ飛んでしまう。ちょうど、サッカーが大好きな少年が強豪校《きょうごうこう》の部活に入って試合に出られなくなったら、急にその熱が冷《さ》めてしまうようなものです。

他人と比較《ひかく》した時の「得意／苦手」は、あって当たり前。でも、そこに縛《しば》られている限《かぎ》り、あなたが書くことを楽しむのは難《むずか》しくなります。

2 いつも、他者の視線にさらされている

学校以外の場で皆《みな》さんが文章を書く（打つ）道具に、スマートフォンがあります。LINEやInstagramをはじめとするソーシャルメディアのアカウントを持っている人もいるでしょう。量だけで言えば、学校よりも多い文章を書いているかもしれませんね。

ソーシャル（＝社交の）メディアの名の通り、これらの道具は他者と関係を取り結ぶためのものです。しかし、複雑《ふくざつ》な人間関係を生き抜《ぬ》かなければならない皆《みな》さんにとって、ここでの書くことは、時に過酷《かこく》な経験《けいけん》をもたらします。相手に既読《きどく》スルーされると気になるし、逆《ぎゃく》に自分がそうしないよう、通知画面で内容を読む。そんなふうに気をつかいながら、複雑《ふくざつ》なコミュニケーションを展開《てんかい》している。

そして、ここでも「得意／苦手」問題はつきまといます。書くのが上手な人は、時にくだけた物言いを駆使《くし》し、他者の反応《はんのう》をうまく利用し、頻繁《ひんぱん》に書

き込《こ》みをし、さらに時にはグループと個人のメッセージを使い分けて、その場の会話を誘導《ゆうどう》します。その一方で、苦手な人は、膨大《ぼうだい》な文字の波に揉《も》まれて、溺《おぼ》れないように必死にあいづちを繰《く》り返しながら、事態《じたい》の推移《すいい》についていくだけなのです。

3 書くことを、自分の手に取り戻す

こんなふうに、学校の内でも外でも、あなたは書く時にいつも他者の視線《しせん》にさらされ、比較《ひかく》され、優劣《ゆうれつ》をあらわにされる。そして、その不安におびえている。それが、二〇二〇年代の書くことをめぐる状況《じょうきょう》の一断面《だんめん》でしょう。そして、そこでの「書くことが得意／苦手」とは、自分の書いたものの価値《かち》を自分で決めることをやめて、他者との相対的な優劣《ゆうれつ》に委《ゆだ》ねてしまう言葉でもあります。得意な人ほど、他者から称賛《しょうさん》されるのになれてしまい、それに気づいていません。

僕《ぼく》がこの本であなたに提案《ていあん》したいのは、いったんその地平から抜《ぬ》け出して

みること。他者を気にしないで、書く営《いとな》みに一人で向き合ってみる。そうやって書くことを自分の手に取り戻《もど》した時、はじめてくっきりと見える書くことの魅力《みりょく》がある。その魅力《みりょく》に出会ってほしい。そう思うのは、僕《ぼく》自身に、こんな過去《かこ》の体験があるからです。

子どもの頃《ころ》、僕《ぼく》は書くのが得意な子でした。小学三年生の時、こわもての男性の先生が担任《たんにん》になり、怒《おこ》られるのが怖《こわ》い僕《ぼく》は「どう書けば先生に喜《よろこ》んでもらえるか」を必死に考えて書くようになったんですね。内容だけでなく、文体も気をつけました。すると、褒《ほ》めてもらえることが増《ふ》えたんです。どのクラスにも、きっと一人くらいいたんじゃないかな、いつも先生の方を向いて、先生が満足する作文を書き、よく褒《ほ》められる子。

やがて僕《ぼく》は、作文のコンクールなども、事前に入選作品を読んで「なるほど、こう書くと大人のウケがいいのか」と子どもなりに考えて書くようになり、しばしば入選するようにもなりました。

でも同じ頃《ころ》、僕《ぼく》は、一人で、読み手を気にしないで物語を書くのも好きでした。このきっかけは、小学二年生の国語の授業《じゅぎょう》でのお話づくりです。もともと読書が好きだった僕《ぼく》は、お話づくりの楽しさに目覚めて、家でお話をノートに書くようになりました。

今でも残っているその「作品」は、当時好きだったお話やアニメの二番煎《にばんせん》じの、取るに足らないものばかり。でも、それを書くのが楽しくて、中学生以降《いこう》も、夜寝《ね》る前の三十分、ベッドの上でノートに何ごとか書いていました。次第にその内容は、好きな言葉を書き写したものだったり、週末の競馬《けいば》予想や馬の血統《けっとう》についての文章になったりするのですが、結局、高校二年生頃《ごろ》まで、僕《ぼく》は、寝《ね》る前に文章を書く習慣《しゅうかん》を続けることになります。

こう書くと、変な中高生に見えるかもしれません。でも、皆《みな》さんの中にも、好きな歌をよく口ずさむ人や、教科書やノートの端《はし》っこにいつもかわいいイラストを描《えが》く人が、きっといるはず。それが僕《ぼく》の場合はたまたま「文章を書くこと」だったわけです。

ふりかえると子どもの頃《ころ》、僕《ぼく》は二つの書く体験をしていました。一つは、学校で、褒《ほ》めてもらうために先生の目を意識《いしき》して書く体験。もう一つは、家で、自分の楽しみのために文章を書く体験。そして、「書き手」としての今の自分を作ってくれたのは、間違《まちが》いなく後者の体験だったと、今は強く思います。

学校で文章を書く体験は、自分の優越感《ゆうえつかん》は満たしてくれましたが、決して心から楽しいものではありませんでした。いつも、先生に気に入られることを考え、それに沿《そ》った文章を、時に自分の本心に嘘《うそ》をついて書く。それは今思えば、書き手としての自分の判断基準《はんだんきじゅん》を、全て他者(先生)に委《ゆだ》ねていたことに他なりません。他者の視線《しせん》におびえながら書くことが、本当に楽しいはずがない。

でもそんな自分も、家にいる時には、誰《だれ》にも読まれるあてのない文章を毎日書いていた。なんでそんな「無駄《むだ》」なことをしていたのだろう。空想の世界に身を置くのが楽しかった。架空《かくう》のキャラクターに自分の理想を託《たく》していた。辛《つら》い時に、それまで書き溜《た》めていた好きな言葉を読んで、自分を慰《なぐさ》めていた。大人になった僕《ぼく》は、きっと色々な理由があったのだろうと推測《すいそく》はできても、その当時の本当の気持ちを知ることは、もうできません。

ただ、今でも確信《かくしん》しているのは、他者の視線《しせん》から遠く離《はな》れて、たった一人で、自分しか読まない文章を書いていたあの日々が、書き手としての自分を育ててくれたということです。もちろん、今の僕《ぼく》はプロの作家でもなければ、ライターでもない。でも、その時々に感じたこと、考えたこと、読んだ本の感想などをブログに書く習慣《しゅうかん》が、もう十年くらい続いていています。書くことが、自分の人生を支えてくれる。僕《ぼく》の子ども時代の経験《けいけん》は、そんなことを教えてくれました。

いまの皆《みな》さんには、そんなふうに毎日やってしまうものはありますか。もしかしてそれは、音楽を演奏《えんそう》すること、歌を聴《き》くこと、イラストを描《えが》くこと、ゲームをすること、サッカーをすることかもしれませんね。こうしたあなたの好きなことは、たとえ将来《しょうらい》それで直接お金を稼《かせ》ぐことができなくとも、あなたの人生を豊かにする土台になるもの。決して諦《あきら》めてはいけません。そして、それらの好きなことに混《ま》じって、「書くこと」だって、あなたの人生を豊かにしてくれる可能性《かのうせい》がある。この本では、そのための提案《ていあん》をしたいと思います。

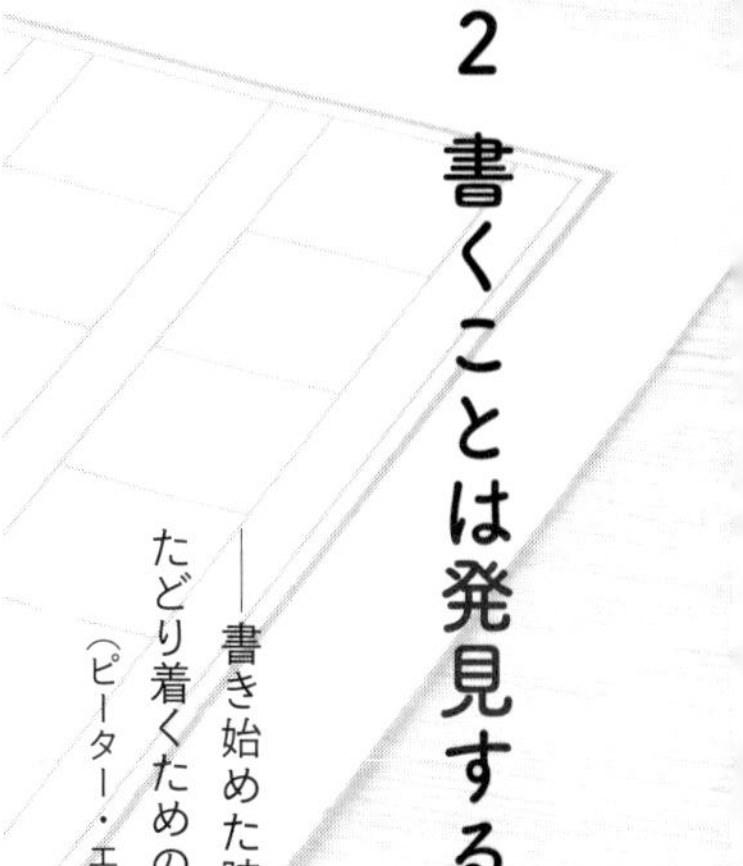

2 書くことは発見すること

——書き始めた時には思いもよらなかった思考にたどり着くための方法、それがライティングだ。

（ピーター・エルボウ『自分の「声」で書く技術』65頁）

1 大人の書き方と子どもの書き方

いま僕《ぼく》が働いている学校には、幼稚園《ようちえん》から中学生までの子どもが通っています。そこでは「作家の時間」という、子どもが書きたい文章を書く時間があり、小学校低学年の教室では、幼《おさな》い書き手たちが、白い画用紙に自由に絵を描《えが》くようにして、思い思いに原稿用紙《げんこうようし》に文章を書いています。技術的《ぎじゅつてき》にはつたなくとも、書くこと自体が楽しくて仕方ない子たちは、書く姿勢《しせい》もしっかりと前のめりになって、充実《じゅうじつ》した喜《よろこ》びが溢《あふ》れています。それを見ると思うのです。もしかして誰《だれ》もが、最初はこういう書き手だったのではないかと。

幼《おさな》い彼《かれ》らは、書く時に事前に構成《こうせい》を考えたり、執筆計画《しっぴつけいかく》を練《ね》ったりすることを、ほとんどしません。その場の思いつきで書き進め、終わったら「見て見て！」と作品を見せには来るものの、実際《じっさい》のところは書いただけで満足のよう。助言を聞いて改善《かいぜん》しようなんてことは、全く考えていません。

実はこれは、大人が文章を書く時の「良い」やり方の逆《ぎゃく》と言ってもいい。大人が書く時には、たいていは実用的な目的があり、想定する読者がいます。書く前に計画を立て、レンガを積み上げるように書き、必要に応《おう》じて助言も得《え》ながら文章を練《ね》り上げる。さらには、その文章が当初の目的を達したかどうかに、関心を持ちます。

大人たちが、いわば仕事として成果を気にしながら書くのに対して、幼《おさな》い書き手たちは遊びの延長《えんちょう》として書いている。そう言えるかもしれません。

2 学校教育での書くこと

学校では、こういう子どもの文章の書き方を「未熟《みじゅく》」とみなして、さまざまな書き方を教え、「遊び」から「仕事」として書くように導《みちび》いてきました。具体的には、テン(読点《とうてん》)とマル(句点《くてん》)が正しく打てるように。一つの文の中で主語と述語《じゅつご》がきちんと対応《たいおう》するように。物語やエッセイや手紙やレポートなど、ジャンルに応《おう》じた書き方ができるように。大学生にもなれば、パラグラフ・ライティングができるように。何よりも、読者を想定して目的を達せられるように……。

この練習は、大人になっても続きます。ある目的を達成するために、どうやって、読者から見て誤解《ごかい》なく伝わる文章を書けばいいのか。そのための書き方の本が、大人向けにたくさん出ています。書くことを学ぶとは、他人からの評価《ひょうか》の視線《しせん》を、自分の中にとりこむ行為《こうい》でもあったわけです。

もちろん、文章もコミュニケーションの手段なので、他者が読んで理解できる文章を書く技術《ぎじゅつ》を学ぶのも大切なことです。そして、先ほどはあえて単《たん》純化《じゅんか》して語りましたが、実は、「仕事」の文章を書く中にも「遊び」と同様に、充実《じゅうじつ》した喜《よろこ》びを味わう瞬間《しゅんかん》はある。しかし、学校でその技術《ぎじゅつ》を教える過《か》程《てい》で、思わぬ副作用も生まれます。たとえば、先生が他者に伝わりやすい書き方を効率的《こうりつてき》に教えようとして、題材や書き方を一律《いちりつ》に指定すれば、書く側は書きたいことを書けなくなります。また、子どもの側がそうやって他者(＝先生)基準《きじゅん》での「良い文章の書き方」を学び続け、それに自分を合わせようとした結果、それがうまくできず窮屈《きゅうくつ》に感じる人や、他人の目ばかりを気にして、書く楽しさや書き手としての自分を見失う人も出てきてしまう。そんなふうに、先生が親切心からうまく書く技術《ぎじゅつ》を教えようとすることで、かえって子どもが書けなくなる事例は、意外に多いのかもしれません。

だから「大人の書き方」に象徴《しょうちょう》される、うまく書くための技術《ぎじゅつ》＝他者の視《し》線《せん》を内面化する技術《ぎじゅつ》を、この本ではいったん忘《わす》れましょう。他人に読まれるためではなく、自分のために書く。そこから出発して、書くことに向き合っていきたいと思います。

3 書くことは発見すること

「自分のために書く」と言われても、ピンとこないですよね。読まれないのに書くなんて、意味がない？　でも、そう考えてしまうのは、書かれた「結果」にしか目がいかないから。本当は、書く行為《こうい》のただ中で、僕《ぼく》たちは多くのものを得《え》ているのです。短い詩を一つ、紹介《しょうかい》しましょう。

葉

日《ひ》原《はら》正彦

ちいさい葉はくるくるくるくるとおちる
大きい葉は　ゆっくり
ゆっくり

落ちる
そうでないときもある
（『現代詩の10人　アンソロジー日原正彦』69頁）

たわいもない詩に見えますが、最後の一行が魅力的《みりょくてき》です。小さい葉が「くるくる」落ちるのも、大きい葉が「ゆっくり」落ちるのも、太陽が赤かったり海が青かったりするのと同じ、よくある決まり文句です。でも、よく見ると、「そうでないときもある」。手垢《てあか》のついた言葉でできた思い込《こ》みの世界が、よく見ると実は違《ちが》うことに、書き手は気がついたのでしょう。これは、詩を書くことを通じて、よく観察したからこその発見です。

こういう、書くことを通した発見は、僕《ぼく》たちの身の回りでも経験《けいけん》できます。試しに一つ、やってみましょう。

今、あなたから見えるものを、できるだけたくさん書いてください。

例えばこんな課題はどうでしょうか。いま僕《ぼく》の前には、原稿《げんこう》を打つパソコンがあります。その差し込《こ》み口から充電《じゅうでん》コードがパソコンの後ろを経由《けいゆ》してコンセントに刺《さ》さっています。パソコンの右手にはスマホが画面を伏《ふ》せて置かれてあり、左手側には、読みかけのマンガ。表紙には三名の主人公のイラストがあり、中央のキャラクターが赤い服にヘルメットをしている。すぐ向こうに、白いスタンドライトが立っていて、電気は切られたまま。その奥《おく》に窓《まど》があり、駐車場《ちゅうしゃじょう》が見えます。車が十三台、並《なら》んでいました。あ、いまエンジン音がして、赤い大きな横浜《よこはま》ナンバーの車が一台、そこを出ていったところ。

こうして書いたもののうち、僕《ぼく》が事前に知覚していたものは、ほんの一部に過《す》ぎません。人は見ているようで見ていない。そして、書くとは、普段《ふだん》何気なく見逃《みのが》し、聞き逃《のが》しているものだらけのこの世界の中で、いったん立ち止まって、それらを注意深く見たり、耳を澄《す》ましたりすることなのです。

書くことで発見できるのは、目に見え、耳で聞こえるものだけではありません。例えば僕《ぼく》がブログを書いている時、書くことで、それまで思いつかなかった考えによく出会います。文章を書くと、新しいアイディアがふっと浮《う》かんでくる。確《たし》かにそれまでも頭の中にあったはずなのに、「なるほど、自分はこんなことを考えていたのか」と、書いて初めてわかる。いわば、発見としての書くこと。

どうしてそんなことができるのか。おそらくは、まず頭の中の生煮《なまに》えのアイディアが文字にすることで可視化《かしか》され、それを読んだ自分が、ついさっきの自分が書いたその文章に反応《はんのう》して、新しいアイディアを思いつくのでしょう。書くという営《いとな》みは、今の自分と少し前の自分の、文字を通した絶《た》えざる対話であり、その結果として新しいアイディアが創《つく》られるプロセスだ、と言えるのかもしれません。

僕《ぼく》が皆《みな》さんに伝えたいのは、このような「発見としての書くこと」「自己内対話としての書くこと」の魅力《みりょく》です。もちろん、書くことには、「あらかじめまとめていた情報《じょうほう》や考えを、人にわかりやすく伝える」働きもあります。「手紙の書き方」や「レポートの書き方」などの授業《じゅぎょう》で教わることの多くは、そのための技術《ぎじゅつ》です。でも、それ以上に大切なのが、この「書くことで新しい世界を見つけ、創《つく》り出す」働きだと、僕《ぼく》は強く信じているのです。

3 発見のためのエクササイズ

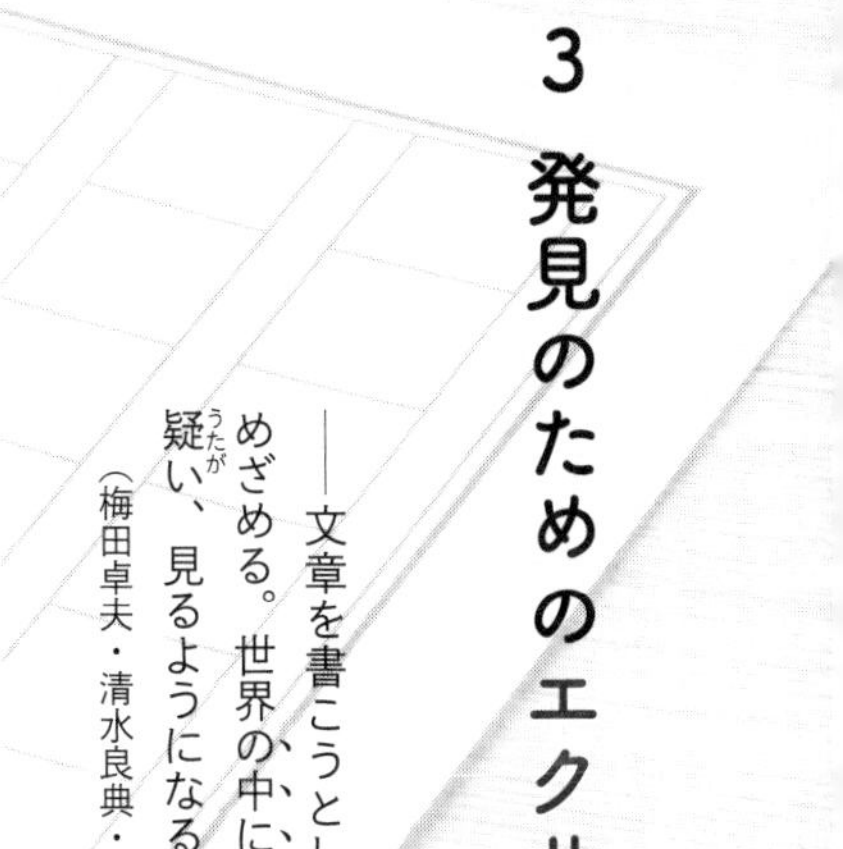

――文章を書こうとしてはじめて、わたしたちの意識はめざめる。世界の中にいたわたしが、世界を前にして驚《おどろ》き、疑《うたが》い、見るようになる。

（梅田卓夫・清水良典・服部左右一・松川由博『新作文宣言』177頁）

書くことで、新しい世界を創《つく》り出す。それには特別な才能《さいのう》は必要ありません。誰《だれ》でも言葉を使って新しい世界を発見したり、創《つく》り出したりすることができます。ここでは、書くことで発見するためのエクササイズ（練習）をいくつかやってみましょう。

1 手を使って考える――五行詩づくり

書くというと、頭を絞《しぼ》って出てきたものを文章にするイメージを持つ人が少なくありません。しかし、僕《ぼく》たちは実際《じっさい》には、全て頭の中で考えた結果を文字に出力するわけではありません。書くのに慣《な》れた人でさえ、紙にペンで、あるいはキーボードでパソコンに書きながら、自分の書きたいことを見つけていくもの。書くことは、基本的に手作業なんです。

まずは、それを実感するエクササイズをしましょうか。詩を書きましょう。大丈夫《だいじょうぶ》。あなたがするのは、「手を動かす」だけ。材料は全てあなたの「外」にあります。

まず、学校図書館や公立図書館など、本のたくさんある場所に行き、三冊の本を手に取ってください。この三冊は誰《だれ》かに適当《てきとう》に選んでもらうのがベストですが、そんな人がいなければ、新刊コーナーを見て目についた三冊でもいい。例えば、『七人の犯罪者』『元女子高生、パパになる』『バッテリー』

の三冊が手元に来たとしましょうか。これが、自分では決められない「運命の三冊」というわけ。

さて、その三冊に、これから自分で選んだ二冊を付け加えて、あなたは合計五冊の本を持ちます。そして、その五冊のタイトルの言葉を使って、五行の詩をつくってみましょう。タイトルをそのまま使ってもいいし、一部だけを使ったり、一部の言葉を改変したりしてもＯＫ。ただ、必ず五冊とも使って、五行の詩にしなくてはなりません。

さて、どんな作品ができるでしょうか。本のタイトルで詩をつくるなんてもともと無茶な話なので、うまくやろうとしなくていいですよ。むしろ、タイトルとタイトルが組み合わさって、言葉が勝手に自分の手綱《たづな》を離《はな》れて、思いもよらぬ世界を創《つく》っていくことを楽しみましょう。

以下は、この五行詩づくりでできた作品です。

へんてこバッテリー　リク

七人の
パパがもっている
怪物型
ちょっとブルーの
バッテリー

◇◇◇◇◇◇◇◇◇◇◇◇◇◇◇◇◇◇◇◇◇◇◇◇◇◇◇◇◇◇

【もとになった本のタイトル】①七人の犯罪者 ②元女子高生、パパになる ③バッテリー ④怪物はささやく ⑤ぼくはイエローでホワイトで、ちょっとブルー

リクは、「七人の／パパ」という設定《せってい》から始めて、なんとも不思議なバッテリーをこの世に誕生《たんじょう》させました。「バッテリー」は、元々は野球のピッチャーとキャッチャーをさす、あさのあつこさんの小説のタイトルですが、充《じゅう》電池《でんち》の意味に変えて使ったのが面白いですね。

モンスター　ナコ

トウモロコシを食べたら
モンスターみたいに
大きくなる
夢《ゆめ》を
夏に見た

◇◇◇◇◇◇◇◇◇◇◇◇◇◇◇◇◇◇◇◇◇◇◇◇◇◇

【もとになった本のタイトル】 ①おれたちのトウモロコシ ②帰命寺横丁の夏 ③ナニワ・モンスター ④また、同じ夢を見ていた ⑤大きくなる日

本のタイトルを組み合わせて、たった数行で暑い夏の盛《さか》りの夢《ゆめ》を描《えが》いたのがナコです。途中《とちゅう》まで徐々《じょじょ》に音数が減《へ》っていく展開《てんかい》に、夢《ゆめ》のような現実のような不気味《ぶきみ》さが漂《ただよ》います。

ヘヴン　ハナコ

ここは、天国に一番近い場所
ユリシーズ・ムーアという隠《かく》された町
何者かの
影《かげ》たちの
5分間の物語

◇◇◇◇◇◇◇◇◇◇◇◇◇◇◇◇◇◇◇◇◇◇◇◇◇◇◇◇◇◇

【もとになった本のタイトル】①何者 ②影 ③ユリシーズ・ムーアと隠された町 ④天国（ヘヴン）にいちばん近い場所 ⑤5分間の物語

ハナコの詩は、まるで映画《えいが》の予《よ》告編《こくへん》のよう。天国に一番近い、隠《かく》された町で、人知れず新しい物語が動き始める予感に満ちています。

この五行詩の良いところは、成功も失敗もないところ。もともとどんな夕イトルが来るかは運次第の要素《ようそ》も大きいし、五行しかないので、むしろ読む側が想像《そうぞう》を広げてどんな詩でもそれなりに読めてしまうのです。手を使ってあれこれしているうちに、偶然《ぐうぜん》の積み重ねでいつの間にか詩ができてしまい、意外な言葉の世界が立ち上がる面白さ。言葉が急に自分の手を離《はな》れて生き物のように動き出す楽しさを、ぜひ味わってください。

この五行詩づくりは、東京学芸大学附属《ふぞく》世田谷中学校の渡邉裕《わたなべゆたか》さんの授業《じゅぎょう》をもとにしています。同じように手を動かして詩を作る手法に、イギリスの詩人サンディ・ブラウンジョンの「ラッキー・ディップ」があります（詳《くわ》しくはラッキー・ディップで検索《けんさく》してください）。また、五音と七音のカードを組み合わせて短歌や俳句《はいく》をつくる『57577』『俳句《はいく》メーカー』というカードゲームも出ているので、こちらもぜひどうぞ。

2 五感でとらえる ―― 食べものライティング

次のエクササイズでも、書く題材はやはりあなたの「外」にあります。何か、食べ物を用意してください。お菓子《かし》でも、料理でもいい。見たもの(視覚《しかく》)だけでなく、聞こえたもの(聴覚《ちょうかく》)、匂《にお》い(嗅覚《きゅうかく》)、触《さわ》ったもの(触覚《しょっかく》)、味わい(味覚)など、五感をフル動員して書いてみましょう。思いつかない?では、チョコレートを用意しますね。僕《ぼく》が教えている小学生が、授業《じゅぎょう》で五感を使ってチョコについて書いた作文と一緒《いっしょ》にどうぞ。この時は、ミルクチョコ、カカオ72%、86%、95%の四種類から、食べたいチョコを選んでもらいました。

◇◇◇◇◇◇◇◇◇◇◇◇◇◇◇◇◇◇◇◇◇◇◇◇◇◇◇◇◇◇

袋《ふくろ》を開けたとき、「キューペリ」みたいな音がして、口に入ると「カリットロッ」がまざるような音がして、においは、音と同じようなにおいがしました。食べている時は、「んー、うまい」おさえきれないほどさとうのようでした。なめてたべるとさいしょはあめのようで5びょうたつとすっときえた。茶色ななぞのぶったい。それはとてもふしぎなあじでした。

(ヨウ、ミルクチョコ)

◇◇◇◇◇◇◇◇◇◇◇◇◇◇◇◇◇◇◇◇◇◇◇◇◇◇

あすこま（筆者のニックネーム）にもらったこげちゃ色のかたいぶったいは、苦《にが》そーな香りをはっしている。長方形のまんなかに線が入っていて、半分にわれるようになっている。せっかくだからわってたべることにした。わる時に音はしなくて、かんでも音はしない。味は、シンプルに、まずい。甘《あま》ったるいとはかけはなれた味がする。味の変化なんてかんじてるひまがない。たべないことをすすめる。

（サキ、カカオ86%）

◇◇◇◇◇◇◇◇◇◇◇◇◇◇◇◇◇◇◇◇◇◇◇◇◇◇

今日はバクダンを食べた気分になった。ぼくはピーマンを強化したような味がキライなのに、カカオ86%のバクダンを食べてしまった。よくあるビニールをあけたらバクダンが顔を出した。色はカカオ72%のバクダンよりも濃《こ》かった。バクダンを口に入れた直後にすごい味が口に広がった。例えるなら、ゴーヤチャンプルにブラックコーヒーをぶちまけたような味だ。ぼくはカカオ86%を食べたが95%を食べてたことを考えると怖《こわ》くてたまらない。

（ケンスケ、カカオ86%）

同じチョコレートでも三者三様の文章ができあがりました。こういう時、「チョコレート」という名称《めいしょう》や、「甘《あま》い」「苦《にが》い」などのチョコを表現するのによく使う言い方をあえて使わないことで、自分なりの発見がしやすくなります。また、書くのが難《むずか》しく感じる人は、次のヒントを意識《いしき》してみましょう。

①五感（視覚《しかく》・聴覚《ちょうかく》・触覚《しょっかく》・嗅覚《きゅうかく》・味覚）をできるだけ多く使う
②比喩《ひゆ》を使う（〜のような）
③オノマトペを使う（ザクザク、トロッ、しっとり　など）
④形容詞や形容動詞を使う（濃厚《のうこう》な、力強い、なめらかな　など）
⑤時間経過《けいか》を表す言葉を使う（最初は〜、次第に〜、最後は〜）

このチョコレート・ライティングは、長野県公立小学校教諭《きょうゆ》の石山れいかさんの授《じゅ》業《ぎょう》をもとにしています。

チョコレート・ライティングが楽しかったら、次は、他の料理に挑戦《ちょうせん》してみましょう。ショウタは目玉焼きをつくって食べる場面を書きました。

鉄のがっしりしたフライパンに、バターを一切れ投入した。

「ジュワァ」

まるで僕《ぼく》の弱気な心のように、一瞬《いっしゅん》で溶《と》けていった。

バターが溶《と》けたフライパンに、分厚《ぶあつ》いベーコン二切れを優《やさ》しく置くように投入して、その横の余《あま》ったスペースにMサイズの卵を二つ割《わ》り入れる。パチパチと卵が音を立てている。だんだん、ゆっくりとだけど、卵が透明《とうめい》から白く染《そ》まっていく。

ベーコンと目玉焼きをまっさらな平たいお皿に盛《も》り付けて、ダイニングテーブルに向かった。フォークで卵の黄身の部分を突《つ》っつく。トロッと半熟《はんじゅく》の黄身が火山のマグマのように、ゆっくりと、そして素早《すばや》く流れてきた。

（ショウタ）

◇◇◇◇◇◇

プロの作家の中には、食べるシーンを美味《おい》しそうに書く人がたくさんいます。個人的なお気に入りだと、小川糸《おがわいと》さん、髙田郁《たかだかおる》さん、東海林《しょうじ》さだおさん。特にユーモアたっぷりな東海林さんの雰囲気《ふんいき》を真似《まね》したくて、僕《ぼく》は、ラーメンを食べる様子をエッセイに書いたことがありました。

◇◇◇◇◇◇◇◇◇◇◇◇◇◇◇◇◇◇◇◇◇◇

まずは一枚目のノリを箸《はし》でつまみ、スープに全部ひたす。濃厚《のうこう》で粘《ねば》り気のある醤油豚骨《しょうゆとんこつ》スープを、ノリが十分に吸い込《こ》んでから、一度に口に入れる。この味。濃厚《のうこう》で、かなり醤油《しょうゆ》が効《き》いている。この味が口中に残っているうちに太麺《ふとめん》をすするのだ。やや黄味がかった太麺《ふとめん》は、ツルツル、シコシコ、モチモチである。このツルツルシコシコモチモチ麺《めん》に、スープの油粒《つぶ》が絡《から》み、ずるずると口の中に入って行く。ツルツルシコシコモチモチをズルズルすると、口が油でベトベトになるところへ、二枚目以降《いこう》のノリを投入する。ノリは、まだ湯気に負けずパリッとしている。このパリッが口の中をリフレッシュする。ツルツル、シコシコ、モチモチ、ズルズル、ベトベト、パリッ。これがこのラーメンを食べる正式な順番である。

◇◇◇◇◇◇◇◇◇◇◇◇◇◇◇◇

我《われ》ながら悪ノリしていて、出来はさておき、でも楽しそう。この時の創作《そうさく》メモを読み返すと、合計三回もこのラーメン屋に行っていました。

そんなにラーメン屋に行くべきかはさておき、たっぷり時間をかけて、目の前の料理をあなたの言葉で切り取ってみましょう。それは写真とはまた違《ちが》った、あなただけの実感をともなった特別料理になるはず。書くことで、食べることもいっそう楽しくなりますよ。

3 読んでつくる——穴埋め短歌

五行詩づくりも、食べものライティングも、どちらも自分の「外」にあるものをもとに書いてきましたね。何かを書く時に自分の頭の中から捻《ひね》り出そうとしても、書きたいことなど全くない気がして、焦《あせ》るだけ。書くことはあなたの「外」にある。その「外」にあるものを見つめるあなたの視線《しせん》、そこから書く対象を選び出す切り取り方、目の前の材料を並《なら》び替《か》える手つき、そしてそこに加えたちょっとだけの言葉。それらが、あなただけの言葉の世界を創《つく》っていく。その手《て》応《ごた》えを感じ取ってほしい。書くことは、あなたの「中」にあるものを「外」に出す営《いとな》みではありません。むしろ、「外」にあるものを、書くことを通して、本当にあなた自身の「中」に取り入れることなのです。

次はもう一歩進んで、もともとある作品の助けを借りて、自分の作品を創《つく》ってみましょう。「穴埋《あなう》め短歌」と呼ばれる遊びです。ルールは簡単《かんたん》、すでにつくられた短歌作品に「穴」をつくって、そこに何が入るか想像《そうぞう》してみようという遊びです。僕《ぼく》はこの遊びを歌人の堀静香《ほりしずか》さんに教えてもらいましたが、短歌の番組や、東直子《ひがしなおこ》『短歌の不思議』や産業編集《へんしゅう》センター『穴うめ短歌でボキャブラリー・トレーニング』などの入門書でも扱《あつか》われています。では、早速やってみましょう。

（　　　）の（　　　　　　　　）には夏という商品があるらしいと聞いた
（笹井《ささい》宏之《ひろゆき》）

さて、このカッコにあなたなら何を入れますか。夏という商品が売られている場所ですね。あまり考えすぎないほうがいいので、せいぜい五分くらいで考えましょう。五七五七七のリズムになるようにだけ、必要なら指を折りながら、考えてみてくださいね。

（　　　）の（　　　　　　　　）には夏という商品があるらしいと聞いた

中学生が考えた「解答」をいくつか紹介《しょうかい》します。

公園のすべり台には夏という商品があるらしいと聞いた
おじさんの家の庭には夏という商品があるらしいと聞いた
南極の百貨店には夏という商品があるらしいと聞いた
コンビニの棚《たな》の奥には夏という商品があるらしいと聞いた

色々な夏の売り場所が出てきました。あなたが好きなのはどれでしょう。そして、あなたはどんな「夏の売り場」を考えましたか。この「穴埋《あなう》め短歌」の良いところは、もともとある作品の力を借りながら、誰《だれ》でも創作《そうさく》ができてしまうところです。もう一つやってみましょう。

焼き肉とグラタンが好きという少女よわたしはあなたの（　　）が好き
（俵万智《たわらまち》）

焼き肉とグラタンが好きという少女よわたしはあなたの食べっぷりが好き
焼き肉とグラタンが好きという少女よわたしはあなたの横顔が好き
焼き肉とグラタンが好きという少女よわたしはあなたのその笑顔が好き
焼き肉とグラタンが好きという少女よわたしはあなたのもも肉が好き

最初の三つは、女の子が元気いっぱいに焼肉とグラタンを食べていて、それを「わたし」(母親でしょうか?)がニコニコ見守っている、ほのぼのした雰囲気《ふんいき》の短歌になりました。最後の「もも肉」の歌はちょっとびっくりですね。つくった本人は、冗談《じょうだん》のつもりだったのかもしれません。でも、「太もも」ではなく、食用を思わせる「もも肉」という言葉を充《あ》てたことで、異様《いよう》な感じの短歌に変身しました。

こんなふうに、どんな言葉を入れるかで新たな発見のある作品が出来上がっていくのが「穴埋《あなう》め短歌」の魅力《みりょく》です。ちなみにこの歌、もとの歌も意外な言葉を入れているのでした。

穴埋《あなう》め短歌は、こんなふうに、もともとある作品を読むこと、それをもとに自分でも書いてみることを応援してくれます。では、練習問題をいくつか。一緒《いっしょ》にやる仲間がいたら、お互《たが》いの作品を見せ合うと楽しいですよ。

「自転車のサドルを高く上げるのが（　）をむかえる準備《じゅんび》のすべて」（2音）
靴紐《くつひも》を結ぶべく身を屈《かが》めれば全ての場所が（　　　）（7音）
日溜《ひだま》りに置けばたちまち音立てて花咲《さ》くような（　　）がほしい（3音）

（参考）
①北極のパン屋さんには夏という商品があるらしいと聞いた
（笹井宏之『ひとさらい』）
②焼き肉とグラタンが好きという少女よわたしはあなたのお父さんが好き

③「自転車のサドルを高く上げるのが夏をむかえる準備《じゅんび》のすべて」
（俵万智『チョコレート革命』）

④靴紐《くつひも》を結ぶべく身を屈《かが》めれば全ての場所がスタートライン
（穂村弘《ほむらひろし》『シンジケート』）

⑤日溜《ひだま》りに置けばたちまち音立てて花咲《さ》くような手紙がほしい
（山田航《やまだわたる》『さよならバグ・チルドレン』）

（天野慶《あまのけい》『短歌のキブン』）

さて、この章では、ここまで三つのエクササイズをやってきました。いずれも、自分の外にある材料を使って即興的《そっきょうてき》に書く経験《けいけん》です。「うまく」できる必要なんてありません。むしろ、あれやこれやと言葉を並《なら》べたり書いたりしていたら、自分でも意図《いと》しないものができてしまった、そんな体験ができる方がずっといい。変でいい、変だからいい。というのも、その「意図《いと》しない何かが生まれる瞬間《しゅんかん》」こそ、書くことの醍醐味《だいごみ》であり、もっとも価値《かち》のある瞬間《しゅんかん》の一つだからです。

4 自分の「物語」を書こう

——自分が小説を書きつづけてきて最近思うのは、物語は本を開いた時に、その本の中だけにあるのではなく、日常《にちじょう》生活の中、人生の中にいくらでもあるんじゃないかということです。（小川洋子『物語の役割』22頁）

1 人は物語を生きている

さて、ここからは、自分の身近なことを題材に、もうちょっと本格的《ほんかくてき》に文章を書いてみましょう。だからと言って「書くことがないよ」と躊躇《ちゅうちょ》しなくていい。そもそも、書くことが全くない人などいません。そういう人の大部分は、本当は書けることがあるのに、学校で指定された題材には対応《たいおう》できなかったり、人に見せるのが嫌《いや》だったり、思いついたことがあっても「こんなことを書いてはダメだろう」と勝手にハードルを上げたりして、その結果「書けなく」なっただけです。

そもそも書けない人はいない。そう言える理由があります。それは、人なら誰《だれ》でも自然に使ってしまう、表現の形式があるから。それが「物語」です。と言われても戸惑うでしょうから、少し「物語」について説明しますね。

この言葉で皆《みな》さんがまず思い出すのは、紙の本や電子書籍《しょせき》の形で売られたり、図書館で借りられたりする、あの物語かもしれません。「お話」とも「小説」とも呼びますね(小説と物語については、両者を区別する立場の議論《ぎろん》もあるのですが、ここでは同一と扱《あつか》います)。

本書でいう「物語」とは、そういう出版された物語も含《ふく》みながら、それだけに留《とど》まりません。人間が、自分の生きる世界について「物語る」行為《こうい》をする時の典型的《てんけいてき》な話し方を指します。どういうことでしょう?

例えば、僕《ぼく》が初対面の学校の先生に自己紹介《じこしょうかい》する時、次のように言います。

僕《ぼく》は東京でずっと中学校・高校の国語教師をやっていましたが、今は長野県に移住して、幼児から中学生までいる学校で、小学生を相手に教えています。

この時の僕《ぼく》の話し方には、二つの特徴《とくちょう》があります。一つは、話し手である自分の観点から「意味があると思える」出来事を選んで話していることです。というのも、僕《ぼく》の自己紹介《じこしょうかい》の仕方は無数にあるはず。好きな食べ物について話してもいいし、家族について話してもいい。でも僕《ぼく》は、自己紹介《じこしょうかい》の相手も学校の先生ということもあって、「自分が学校の先生である」という点に絞《しぼ》って自己紹介《じこしょうかい》しました。つまり、自分で「意味がある」と思った情報《じょうほう》だけ選んで話していたのです。

また、もう一つの特徴《とくちょう》は、僕《ぼく》が「過去《かこ》はこうで、今はこうだ」と時間の流れに沿《そ》って語っていることです。僕《ぼく》は、過去《かこ》から今という時間の流れに沿《そ》って変化した自分のイメージを、語ることで作り出し、相手に手渡《てわた》そうとしている。こうやって、僕《ぼく》は自分についての「時間の流れに沿《そ》った意味のあるまとまり」をつくっている。これが「物語」です。

でも、どうですか？　この程度《ていど》のことなら、あなたも日常的《にちじょう》にしているはず。「物語」の意味をこのように広くとらえれば、誰《だれ》もが「物語」の作り手なのです。

この観点から「人間は物語る動物である」と述《の》べているのが、文筆家の千《ち》野《の》帽子《ぼうし》さんです。千野さんは著書《ちょしょ》『人はなぜ物語を求めるのか』（ちくまプリマー新書）の中で、人間が、時間の流れの前後関係の中で、さまざまな出来事を意味づけ、整理して言語化することを指摘《してき》しています。人は、色々なところで、過去《かこ》にあった出来事と出来事を結びつけて、「物語る」行為《こうい》をしている、といいます。

こういう物語を、僕《ぼく》たちは日常的《にちじょう》につくって生きています。例えば、もしあなたが学校に遅刻《ちこく》したら、先生に、今朝は寝坊《ねぼう》して八時に起きて、親に頼《たの》んで車で送ってもらったけど、道路が事故で渋滞《じゅうたい》していて間に合わなかったんです。

と言い訳《わけ》をするかもしれません。これも、「八時に起きる→車で出る→遅《おく》れて到着《とうちゃく》する」と、時間の流れに沿《そ》って出来事を並《なら》べていますね。

こんなふうに、人間にはもともと「時間の流れに沿《そ》って出来事を把握《はあく》する」思考のクセがあります。こうやってつくられた一連の流れが「ストーリー」であり、そのストーリーを表現する言葉の集まりが「物語」です。人間は、ごく自然に、いろいろな場面で物語を語っているのですね。

2 人が物語を求める理由

また、千野さんによれば、こうやって時系列に沿《そ》って物語を語る時、人にはしばしば、前後に因果関係《いんがかんけい》(原因《げんいん》と結果の関係)を想定するクセもあります。

「Aという出来事があって、それが原因《げんいん》となって、Bという出来事が起きる」物語の形式を、僕《ぼく》たちは色々なところで目にしますね。

①好きなラムネが安かったから、ついたくさん買っちゃったんだ。
②地球温暖《おんだん》化が起きているせいか、最近は毎年暑いねえ。
③僕は前世で何か悪いことをしたせいで、今はこんなに不幸なんだろう。

これらの物語は、いずれも、傍線部《ぼうせんぶ》の前にある、時間的に先行する出来事Aが原因《げんいん》になって、時間的に遅《おく》れた出来事Bが引き起こされる形式をとっています。

実は、こういう形式の語りにおいて、Aが本当にBの原因《げんいん》になっているのかは、よくわかりません。特に③なんて、全く関係ないかもしれません。でも、大事なのは、僕《ぼく》たち人間がそういう因果《いんが》関係《かんけい》で世界を理解したがっているということ。次々と不幸に襲《おそ》われる人は、その理由がないことに耐《た》えられない。だから、「前世で何か悪いことをしたせいで、今の自分が苦しめられている」物語を作り出すことで、「理由のない不幸という辛《つら》さ」から抜《ぬ》け出そうとしている。

高校生以上の読者は、学校の授業《じゅぎょう》で中島敦《なかじまあつし》の「山月記《さんげつき》」を読んだことがあるかもしれません。あの作品もまた、虎《とら》になってしまった李徴《りちょう》という男が、その理由のなさに耐《た》えられずに、自分が虎《とら》になった理由を物語として創出《そうしゅつ》するプロセスとしても読める。

どうも、とりわけ受け入れ難《がた》い現実を前にした時に、僕《ぼく》たちは物語を必要とするようです。例えば、友達《ともだち》と仲違《なかたが》いしたとき。その出来事の原因《げんいん》になることを、つい、いろいろと想像《そうぞう》するでしょう。その友達《ともだち》が言った理由をそのまま受け入れる人もいる。あの時の自分の態度《たいど》が悪かったのではないかと振《ふ》り返る人もいる。いや、別のあの子と仲良くなったせいではないかと思う人もいる。どれが本当の原因《げんいん》なのかはわからない。でも、僕《ぼく》たちは「Aが原因《げんいん》となってBが起きた」という物語の形式で目の前の現実を受け止め、それに納得《なっとく》しようとする。もし物語の形式がなかったら、突然《とつぜん》突きつけられた現実に、いつまでも心は乱《みだ》れたままでしょう。僕《ぼく》たちは、物語の形式を借りることで、目の前の現実を言葉で作り替《か》えて生きているのです。

人が物語によって生きているということは、決して良いことばかりではありません。千野さんは、物語形式で世界を理解してしまう人間が、それによって救《すく》われることも、苦しめられることもあることを指摘《してき》しています。自分を「不幸な物語」の枠組《わくぐ》みで捉《とら》えてそこから抜《ぬ》け出せない人も、現実にはたくさんいる。それほどまでに、人は物語という形式に縛《しば》られているのです。

人は物語を生きている。である以上、僕《ぼく》の中にも、あなたの中にも、必ずそれぞれの物語がある。あなたには書けること、いや、書くべきことがすでにあるのです。あなたという人間の全体を物語るような、何年にもわたる物語でもいい。ほんのささいな出来事を語る、ある一日の、たった十分間の物語でもいい。あなたにしか書けないことが、確《たし》かにある。あとは、それを見つけて、文字にするだけ。書きましょう。自分の物語には価値《かち》がないなんて、勝手に思い込《こ》まずに。

3　物語を形にするヒント

誰《だれ》にでも物語が書けるとして、では、それをどういう形にすれば良いでしょうか。ここでの「物語」とは「A→B」という関係で結ばれたストーリー形式の言葉のことですから、出版された物語のようなフィクション(現実には起きていない架《か》空《くう》の出来事)である必要はありません。日々のことを書きつづる日記や、気になった出来事について書いたエッセイも「物語」だといえるからです。

ですが、日記を書く時にも、「出来事をできるだけありのままに書こう」と肩肘張《かたひじは》らない方が良いでしょう。そもそも、それは無理なことだからです。友達《ともだち》と仲違《なかたが》いした本当の理由は、誰《だれ》にも、おそらく本人にもわかりません。僕《ぼく》たちにできるのは、あり得たかもしれない無数の理由の候補《こうほ》の中から、自分が受け入れられるものを一つ選んで、その理由と結果を一本のストーリーで繋《つな》ぐことだけ。いくらありのままに書こうとしても、それは、あなたが出来事を解釈《かいしゃく》した「物語」に過《す》ぎないのです。むしろ、これは「物語」だと自覚して書いたほうが良いでしょう。

いっそのこと、現実には起きていない架空《かくう》の物語(フィクション)の形式にして書いてみるのも良いかもしれません。実のところ、僕《ぼく》が働く学校の子たちは、フィクションを書くのが大好きです。国語の授業《じゅぎょう》の「作家の時間」では、怪獣《かいじゅう》同士の戦いや、架空《かくう》の少年を主人公にした冒険《ぼうけん》ものや、女の子同士のすれ違《ちが》いを描《えが》いた学校ものなど、多くの子どもが、たくさんのフィクションを書いてきます。そこには、想像《そうぞう》の楽しさや、現実の複雑《ふくざつ》な問題をフィクションの形にして受け止め、消化しようとしているなど、さまざまな理由があるのでしょう。なんにせよ、子どもたちはフィクションを書くのが好き。

僕《ぼく》が71ページ以降《いこう》で紹介《しょうかい》する子どもたちのノートも、ほとんどがフィクションのものです。けれど、本当は、ジャンルはなんでも構《かま》いません。あなたの「物語」が、あなたらしくあれば、それでいい。

ここでは、あなたの「物語」を探《さが》して形にするヒントをいくつか紹介《しょうかい》しましょう。

◉好きなことについて書く

自分が好きなもの、好きなことについて書く。文章を書くなら、何と言ってもこれが王道です。サッカーでも、ゲームでも、好きな歌手やキャラクターでも、なんでも構《かま》いません。好きなことなら、特に事前に計画なく書けるという人もいるかもしれませんが、それだと困《こま》る人は、

- いつ、どんな時にそれをするのか？
- いつ頃《ごろ》からそれが好きになったのか？
- 一日（一週間）にどれくらいそれをするのか？
- それをしている時の具体的な様子は？
- なぜそれが好きなのか？

こんなふうに自分に質問をぶつけて、メモ書きするのも良いでしょう。

◉引っ掛かっている出来事について書く

好きなこととは逆《ぎゃく》に、あなたの心の傷《きず》やモヤモヤ、引っ掛《か》かっていること も、大切な素材となります。仲違《なかたが》いしてしまった友人。傷《きず》つけられた一言。かつての担任《たんにん》の先生への恨《うら》み言《ごと》。言えなかった別れの言葉。親への反感……。心に引っ掛《か》かっていることを、まずは文字にして書き出してみる。これも、次のような問いを自分に投げかけても良いでしょう。

- それは、いつ、どんな時の出来事か
- その時に自分は(+相手は)何をしたのか
- その時に自分はどう感じたのか
- なぜそのことが引っ掛《か》かっているのか

●その出来事を、今の自分はどう捉《とら》えているのか
●その出来事について、何かしたいことはあるのか

あなたの心に引っ掛《か》かっていることは、時に一生をかけて追求しても良いくらいの、大事な「物語」になる可能性《かのうせい》があります。実は、僕《ぼく》にもそういう出来事があります。ここで詳《くわ》しくは書きませんが、中学時代に経験《けいけん》したある悲しい出来事を、これまで詩にしたり、エッセイにしたり、フィクションにしたりしてきました。もしかして今後もするかもしれません。きっと自分は、何度かかたちを変えてアプローチしながら、あの出来事を、長い時間をかけて自分の「物語」として納得《なっとく》いく形に整理したいのだと思います。

そんなふうに、書くことは、自分の心の引っ掛《か》かりに向き合う方法になります。あなたも、自分の心に引っ掛《か》かっているネガティヴな出来事を、書くことで整理してみませんか。

ただ、一つだけ注意を。自分の心の傷《きず》に向かうことは、危険《きけん》も伴《ともな》います。

怒《いか》りや悲しみの感情を書いて形にすることで、自分をその感情から引き剥《は》がし、自分を癒《いや》すことができる時もある。でも逆《ぎゃく》に、書くことで、その負《ふ》の感情に自分をいつまでも立ち止まらせ、その感情で自分を縛《しば》って身動きが取れなくなる時もある。書くことは、祈《いの》りであると同時に、呪《のろ》いにもなる。だから、苦しさを感じたら、離《はな》れる勇気を持つことも、また必要になります。

◉真似をする

自分の「物語」を書くと言っても、必ずしも自分の過去《かこ》の出来事を深掘《ふかぼ》りする必要はありません。本、アニメ、ゲーム、映画《えいが》、歌詞、ニュース番組、クラスメートとの会話……。フィクションであるかどうかに関係なく、僕《ぼく》たちは多くの「物語」に囲《かこ》まれています。それらの中から、気になる筋《すじ》や、キャラクターや、場面の真似《まね》をして書いてみる。それも、立派《りっぱ》な書く方法です。真似《まね》というとよくない印象《いんしょう》を持たれるかもしれません。でも思えば、「ごっこ遊び」を始めた幼《おさな》い頃《ころ》から、僕《ぼく》たちは物真似《ものまね》から「物語」を創《つく》り出す天才でした。そうやって僕《ぼく》たちは「物語」を語ることを学んできた。

作家のオースティン・クレオンは、真似《まね》をすることについて次のように語っています。

人間には偉大《いだい》な欠陥《けっかん》がある――完璧《かんぺき》なコピーを作れないってことだ。ヒーローを完璧《かんぺき》にはコピーできないからこそ、そこに僕《ぼく》たちは自分の居場《いば》所《しょ》を見つける。（オースティン・クレオン『クリエイティブの授業』49頁）

そう、どうせ、僕《ぼく》たちに完璧《かんぺき》なコピーなどできるはずがありません。そこに、あなたの自分らしさは、自然に姿《すがた》を現してくる。何より、あなたがその作品を書いたプロセスはあなただけのもの。それこそが、あなたにとって一番価値《かち》のあるものなのです。

◉視点を変える

すでにあるものを、ちょっと視点《してん》を変えて見直してみる。それもまた、あなたが自分の「物語」を見つけるヒントになります。読者の中には、中学生の頃《ころ》の国語の授業《じゅぎょう》で「少年の日の思い出」をエーミールの視点《してん》で考え直したり、「走れメロス」を暴君《ぼうくん》ディオニスの視点《してん》で書いたりしたことがある方がいるかもしれません。そんなふうに、身の回りの物語をちょっと違《ちが》った視点《してん》で眺《なが》め直すと、そこに新しい可能性《かのうせい》が浮《う》かび上がります。

まずは、実際《じっさい》に読んだお話を、視点《してん》を変えて書き直してみるのはどうでしょうか。「桃太郎」や「三匹の子豚《こぶた》」、あるいは、あなたの好きなあのアニメやあの漫画《まんが》。そのストーリーを、気になる別の人物の視点《してん》から語り直すだけで、別の世界がそこから生まれてきます。気になった人物になり切って、「私があの人だったら……」と考えてみてください。その人のフィルターを通した時に、親しんできた世界の見え方がどう変わるのでしょうか。なお、「三匹の子豚《こぶた》」の話には、悪者扱《あつか》いのオオカミが語り手となったジョン・シェスカ『三びきのコブタのほんとうの話』という絵本もあって、面白いですよ。

フィクションではなく、現実に起きた出来事を題材に、視点《してん》を変えることもできます。例えばあなたが心の中で引っ掛《か》かっている出来事。その出来事の、あなた以外の登場人物になりきって考えてみる。見慣《みな》れた「物語」が別のものに姿を変えるその瞬間《しゅんかん》は、おそらく発見に満ちたものになるでしょう。

既《すで》にあるものの真似《まね》をしたり、視点《してん》を変えたりすること。それは、あなたの外にあるストーリーをあなたが生き、その語り方を自分のうちに取り込《こ》んでいくことでもあります。自分の中に既《すで》にある「物語」を外に出すのではなく、書くことによって他者の「物語」を読み、自分のものにしていく。こうして新しい可能性《かのうせい》に自分を開いていくことが、書くことの魅力《みりょく》の一つであることは、間違《まちが》いありません。

5 書くプロセスをつくる

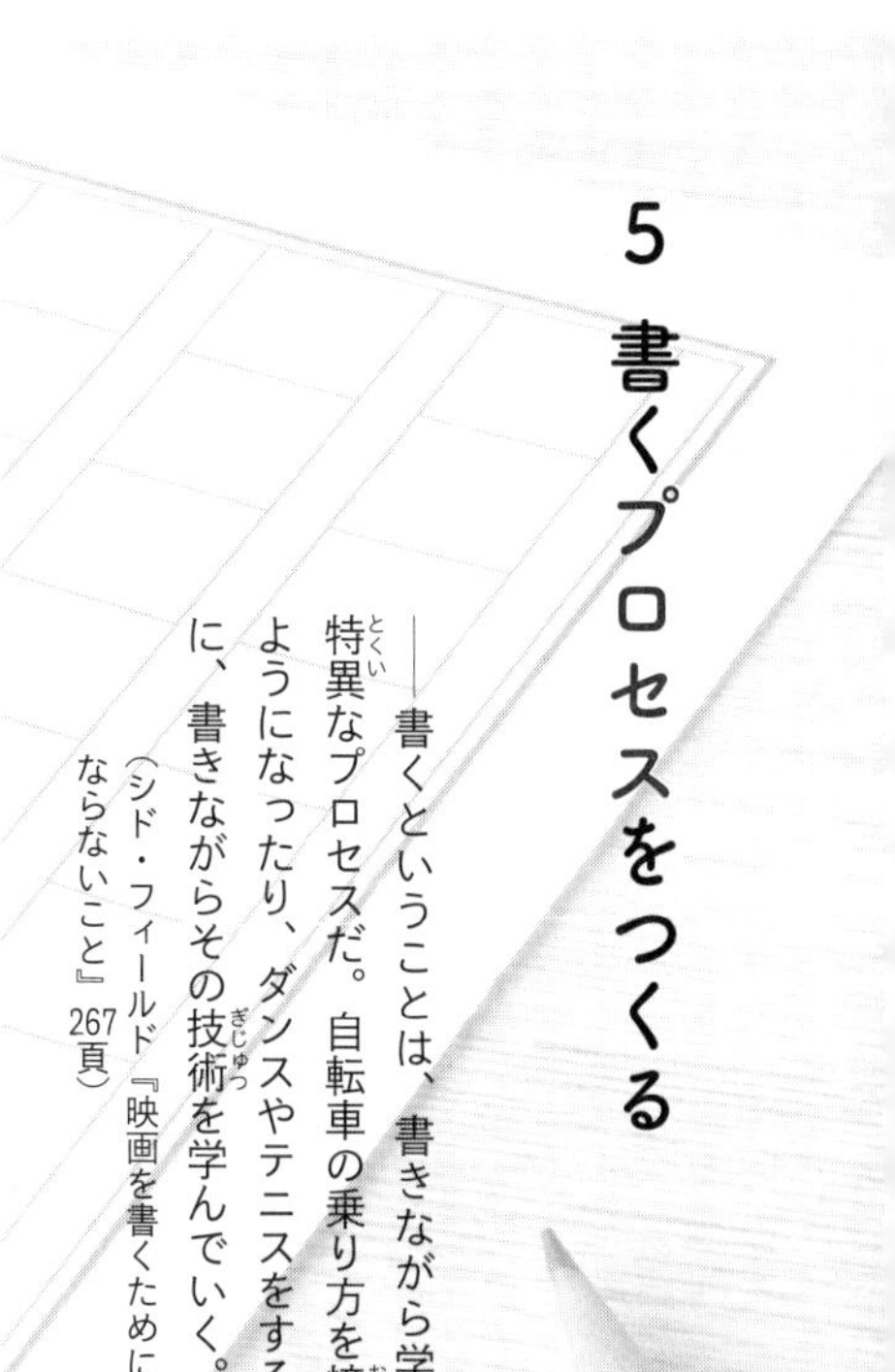

――書くということは、書きながら学んでいくという特異《とくい》なプロセスだ。自転車の乗り方を憶《おぼ》えたり、泳げるようになったり、ダンスやテニスをすることと同じように、書きながらその技術《ぎじゅつ》を学んでいく。

（シド・フィールド『映画を書くためにあなたがしなくてはならないこと』267頁）

1 書くプロセスを知る

「書く」というと、鉛筆《えんぴつ》やシャーペンを紙の上で走らせたり、キーボードを打ったりする動作を思い浮《う》かべることでしょう。しかし、実際《じっさい》には書くプロセスは、書く動作のずっと前から始まっている。ここでは、書くプロセス

（ライティング・プロセス）について説明します。

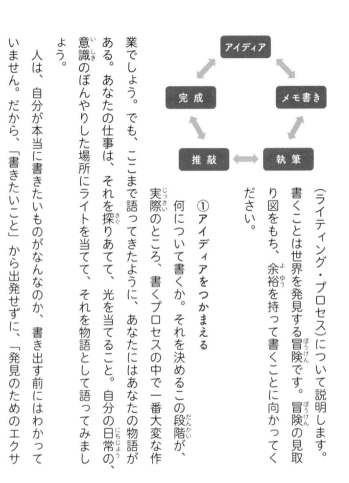

書くことは世界を発見する冒険《ぼうけん》です。冒険《ぼうけん》の見取り図をもち、余裕《よゆう》を持って書くことに向かってください。

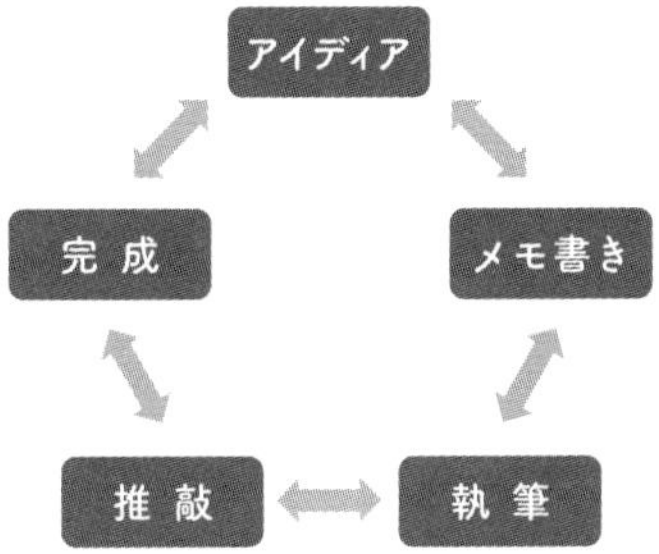

①アイディアをつかまえる

何について書くか。それを決めるこの段階《だんかい》が、実際《じっさい》のところ、書くプロセスの中で一番大変な作業でしょう。でも、ここまで語ってきたように、あなたにはあなたの物語がある。あなたの仕事は、それを探《さぐ》りあてて、光を当てること。自分の日常《にちじょう》の、意識《いしき》のぼんやりした場所にライトを当てて、それを物語として語ってみましょう。

人は、自分が本当に書きたいものがなんなのか、書き出す前にはわかっていません。だから、「書きたいこと」から出発せずに、「発見のためのエクササイズ」で紹介《しょうかい》したように、自分の外にあるものを組み合わせてつくるのもおすすめです。別のテーマについて書いているうちに、本当はこちらについて書きたかったことに気づく、それもよくあることです。なんとなく書けそうなことの鉱脈《こうみゃく》を掘《ほ》っているうちに、ふと、書きたいことを見つけるかもしれない。そうなったらためらいなくそちらに乗り換《か》えましょう。

気分転換《てんかん》を兼《か》ねて外の風景を丁寧《ていねい》に見つめるのもいいですね。通学路の端《はし》に、誰《だれ》かのキーホルダーが落ちていたこと。昨日まで元気に咲《さ》いていたひまわりが、今日は少し下を向いていること。いつも登校時間に外にゴミ出しに来ていたお婆《ばあ》さんが、最近はいないこと。日常《にちじょう》のささいな変化に目を向けるほんの少しの余裕《よゆう》を持つことで、物語の種は自然とあなたのもとに集まってきます。

焦《あせ》る必要はありません。ジェームス・W・ヤング『アイデアのつくり方』は、アイディアが生まれる前には、いったんそのことを忘れて、映画《えいが》・音楽・小説など、自分の想像《そうぞう》力や感情を刺激《しげき》するものに心を移《うつ》すことが必要だと述《の》べています。その時間をゆったり楽しむ心持ちで、新しいアイディアに出会うのを待てるといいですね。

②メモを書く

つかまえたアイディアを忘《わす》れる前に、それを膨《ふく》らませるメモを書く。おそらく、書くプロセスの中で最もクリエイティブで楽しい時間です。フィクションだったら、登場人物の設定《せってい》を考えたり、場面を考えたり、全体のストーリー構成《こうせい》を考えたり。エッセイだったら、いつ、どこで、どんな体験をしたのか、その時自分はどう感じたのかなどをメモしたり。文章の骨格《こっかく》となる要《よう》素《そ》をここで組み立てていきましょう。

メモ書きは、アイディアをつかまえるのにも有効です。梅田《うめだ》卓夫《たくお》・清《し》水《みず》良《よし》典《のり》・服部《はっとり》左《さ》右《う》一《いち》・松川《まつかわ》由博《よしひろ》『新作文宣言』は、メモ書きの豊かな可能性《かのうせい》を高く評価《ひょうか》して、次のことをメモ書きするよう助言しています。

(1) 記憶《きおく》・イメージ・情景《じょうけい》など　題材について思いつくことを連想ゲームふうに書き留《と》める。
(2) アイディア・関係づけ・判断・感想・主張など
(3) 日時・場所・人名・データ・引用句・出典など　客観的な覚え書き
(4) 文章の断片《だんぺん》・おもしろい表現など
(5) 全文の構想《こうそう》・段落《だんらく》分け(章立て)の予定など

『新作文宣言』171―172頁

書く途中《とちゅう》の発見が一番頻繁《ひんぱん》に起きているのはこのメモ書きの段階《だんかい》でしょう。ここで多くの新しいアイディアが生み出され、あなたは、自分がそれまでになかったものを作り出す様子を目《ま》の当たりにします。この時間が楽しいものでありさえすれば、あとはうまくいかなくても気にすることはありません。そもそも、アイディアのうち実際《じっさい》に形になるのは一部分なのだし、形にならなくても、あなたはすでに、多くの収穫《しゅうかく》を手に入れているはずですから。

なお、先のアイディアをつかまえる段階《だんかい》とこのメモを書く段階《だんかい》では、紙のノートが大活躍《だいかつやく》します。スマホやパソコンでメモをとる人もいますが、矢印や絵なども交えながらぐちゃぐちゃ書けるという点で、紙のノートに勝《まさ》るものはありません。実際《じっさい》の紙のノートの活用例については、71ページ以降《いこう》で紹《しょう》介《かい》しましょう。

③執筆する

次に来るのが、実際《じっさい》にペンやキーボードを使って文字を書く時間です。多くの場合、この執筆《しっぴつ》する時間を指して「書く」と言いますが、本書ではもっと広く「書く」プロセスを捉《とら》えています。

ただ、この時間も、考えたことを文字にする「作業」の時間ではありません。事前にある程度《ていど》構成《こうせい》を考えていても、あなたが書いた文章が、あなた自身の次の反応《はんのう》を生んで、ふっと新しいアイディアや展開《てんかい》を開いていく。そんな不思議なことが、書くプロセスではよく起こる。書くことが、自分を次の風景に連れていく可能性《かのうせい》を信じて、書き進みましょう。

ところで、あなたは鉛筆《えんぴつ》やペンで書きますか、それともパソコンやスマホでしょうか。もしパソコンやスマホを使う場合には、最初から書かなくても、書きやすい箇所《かしょ》から書いて、後で順番を入れ替《か》えられる利点もあります。ちなみにこの本の原稿《げんこう》は、ペンのメモ書きで章立てをある程度《ていど》決めてから、パソコンで書きやすいところから書き始めました。書きながらやっぱり削除《さくじょ》したり、順番を入れ替《か》えたり、新しいアイディアを付け加えたり。実際《じっさい》の執筆《しっぴつ》プロセスは、そんなふうに混沌《こんとん》としたものなのです。

④推敲する

「推敲《すいこう》」という言葉は、もともと中国の詩人・賈島《かとう》が、自分の詩の言葉を「推《お》す」にするか「敲《たた》く」にするか迷《まよ》って、大詩人の韓愈《かんゆ》に相談をしたエピソードから生まれた言葉です。今では、一度文章を書き終えた後で、それをよりよくするために、表現を何度も考え直すことを言います。そして簡単《かんたん》にいうと、推敲《すいこう》には次の三つの作業が含《ふく》まれています。

(1) 誤字脱字《ごじだつじ》や日本語表記の誤《あやま》りを修正《しゅうせい》する作業

(2) 文章を削《けず》ったり書き直したりして、より読みやすくする作業

(3) 新しいアイディアに出会って、書き加える作業

このうち(1)や(2)の作業は、皆《みな》さんが学校の作文でやる「清書」と言い換《か》えられるかもしれません。おそらく今後は、これらの作業はＡＩを使うことでより簡単《かんたん》になっていくでしょう。ですが、推敲《すいこう》の持つ可能性《かのうせい》は、むしろ(3)にあります。

過去《かこ》の自分が書いた文章を読み直す時、それがとても新鮮《しんせん》に感じられる。そして、そこからまた付け加えたり、あるいは違《ちが》う方向に進んでみたりなど、新しいアイディアが生まれる。実際《じっさい》の書くプロセスは、こんなふうに執筆《しっぴつ》と推敲《すいこう》を行ったり来たりしながら進んでいきます。推敲《すいこう》とは、決して「終わ

り」の儀式《ぎしき》ではありません。自分の文章に出会い直すことでまた新しい発見が生まれる、「はじまり」の瞬間《しゅんかん》でもあるのです。

なお、この推敲《すいこう》の時には賈島《かとう》と韓愈《かんゆ》のエピソードのように、誰《だれ》かに助言をもらうこともあるでしょう。それについては、第6章「もう一度「他者」と向き合う」で触《ふ》れたいと思います。

⑤完成する

推敲《すいこう》をして、さて、完成。そう思ったら、ひとつ忘《わす》れずにしてほしいことがあります。それは、時間をおいて音読すること。以前、僕《ぼく》が「作家の時間」の授業《じゅぎょう》で、「あなたが下級生にアドバイスをするとしたら、どんなアドバイスをしますか?」と子どもたちにアンケートをとった時、ある小学六年生が次のように書いてくれました。

◇◇自分の書いた作品を声に出して読んでみると良い。丸や点のバランスが分かったり、疑問《ぎもん》が湧《わ》いてくるかもしれない。もしかしたら、誤字《ごじ》もあるかもしれないから、声に出して読んでみるということは、とてもオススメしたい。一夜明けて読んでみると変なところも見つかるよー！（ハナコ）

◇◇◇◇◇◇◇◇◇◇◇

まさに彼女《かのじょ》の言う通り。時間をあけて一回音読することは、あなたに多くのことを教えてくれます。完成前のしめくくりに、音読を忘《わす》れずにしてみてください。

ところで、ある文章が完成するのは、いったいいつの時なのでしょう。実《じっ》際《さい》のところ、いくら書いても推敲《すいこう》の余地《よち》は残っています。果てしなく続く「より良く」の道に、疲《つか》れてしまうこともあるかもしれません。

そこで思い切って、「書き手が満足したら完成」ではどうでしょうか。例えばミステリーを書いていて、事件が解決しなくても、書いているあなたが十分だなと思ったら、そこで完成。あるいは、締《し》め切りを決めて、その日がきたら途中《とちゅう》でも完成。……ちょっと乱暴《らんぼう》すぎると叱《しか》られるかもしれませんね。

もちろん、文章をきちんと完結させることは大変な努力をともないますし、立派《りっぱ》なこと。そして、書く力を伸《の》ばす上では、踏《ふ》ん張って仕上げる努力をするのも大切な練習になります。

ただ、書くことの魅力《みりょく》は、完成させた作品よりも、そこまでのプロセスにある。だとしたら、もしも書くことが苦しくなるくらいなら、完成にこだわらなくてもいい。実際《じっさい》、僕《ぼく》は子どもの頃《ころ》に楽しみのために色々な文章を書いてきましたが、未完成の作品もたくさんあります。中には、「登場人物紹《しょう》介《かい》」と「著者略歴《ちょしゃりゃくれき》」だけで終わった「小説」もあるくらい。

文章を書いていると、途中《とちゅう》で飽《あ》きることもあれば、思い通りにいかなくてだんだんしんどくなってしまうこともあります。そういう時は、「もうここで完成」と決めてしまっていい。もしあなたが最後まで書き切らないと罪悪《ざいあく》感《かん》を覚えるのであれば、最後に「つづく」と書きましょう。「つづく」は、そこでいったんピリオドを打てる魔法《まほう》の言葉。その文章を一度おしまいにして、別のライティング・プロセスに向かうあなたの背中《せなか》を押《お》してくれる言葉です。

　また、もしあなたにとって本当に大事な題材に出会ったら、仮《かり》にうまく「完成」させられなくても、何度もその題材について書き直すこともできます。その文章のライティング・プロセスが、あなたの人生とともに、ずっと続いていく。そんな素敵《すてき》な「未完成」もあるのです。

◉ライティング・プロセスは無計画

　アイディア出しから完成までのライティング・プロセスを見てきました。書くプロセスについて知ることは、宝探《さが》しの冒険《ぼうけん》の地図のように、書き手としてのあなたを導《みちび》いてくれるでしょう。

　ただ、これまでも書いてきたように、実際《じっさい》のライティング・プロセスは混沌《こんとん》とした、無計画なものです。例えば、僕《ぼく》が自分のブログに文章を書く時はほとんど考えがまとまらないまま書いています。むしろ、自分が何を考えているのかをはっきりさせるために書いていると言ってもいい。書きながら、なるほど自分はこんなことを考えていたのかと、自分を発見している。

その発見こそが、書くことの大きな魅力《みりょく》。もしも、失敗しないように文章の設計図《せっけいず》を事前に作りきって、完全にその通りに書いていたら、書く途中《とちゅう》に何も新しい発見が起きなくて、書き手が退屈《たいくつ》してしまうでしょう。そして実《じっ》際《さい》には、いくら事前に計画しても、実際《じっさい》に書く時にはそこから常に細かい修《しゅう》正《せい》や調整がなされています。書くことは、基本的に「無計画」なのです。

2 ノートを言葉の実験室にする

思いついたことは、何でも、メモすることにしています。そのためのノートを一冊、いつも、引出しにしまっておいて、ときどき、とりだしては、書きこんだり、ながめたりします。

そこには、おぼえたての花の名前や、珍《めずら》しいお料理の作り方、猫《ねこ》の会話や、うさぎのひとりごと、そして時には、短編《たんぺん》のはじめの一行や、きちんとしたあらすじや地図まで、何でも書いておきます。ごたまぜの、すごいノート！　他人には、とても見せられないし、見せたって、誰《だれ》にもわけのわからないノートですが、これは、私の宝物です。

（安房直子《あわなおこ》「一冊のノートのこと」『安房直子コレクション2　見知らぬ町ふしぎな村』336頁）

ライティング・プロセスは、どこも創造《そうぞう》性に満ちたものです。しかし、その中でもやはりアイディアをつかまえたりその構成《こうせい》メモをつくったりする段《だん》階《かい》が、もっともワクワクする瞬間《しゅんかん》でしょう。その段階《だんかい》を支えてくれるのが、手書きのノート。そのノートには、何でも書く。作家の安房直子《あわなおこ》さんが書いているように、ノートをあなたの「宝物」にしてください。

ここでは、ノートの使い方の例をいくつか紹介《しょうかい》します。多くは物語を書いている子のもので、いずれも「作家の時間」の授業《じゅぎょう》で使われた使い方です。

なお、最初に最も大切なアドバイスを書くと、このメモ書きを決して消しゴムなどで消さないこと。一度没《ぼつ》になったアイディアが、別のことと結びついて形になることはたくさんあるし、そうでないとしても、そのメモ書き自体が、あなたの創造《そうぞう》の動的なプロセスを垣間見《かいまみ》せる、とても貴重《きちょう》な資料なのですから。

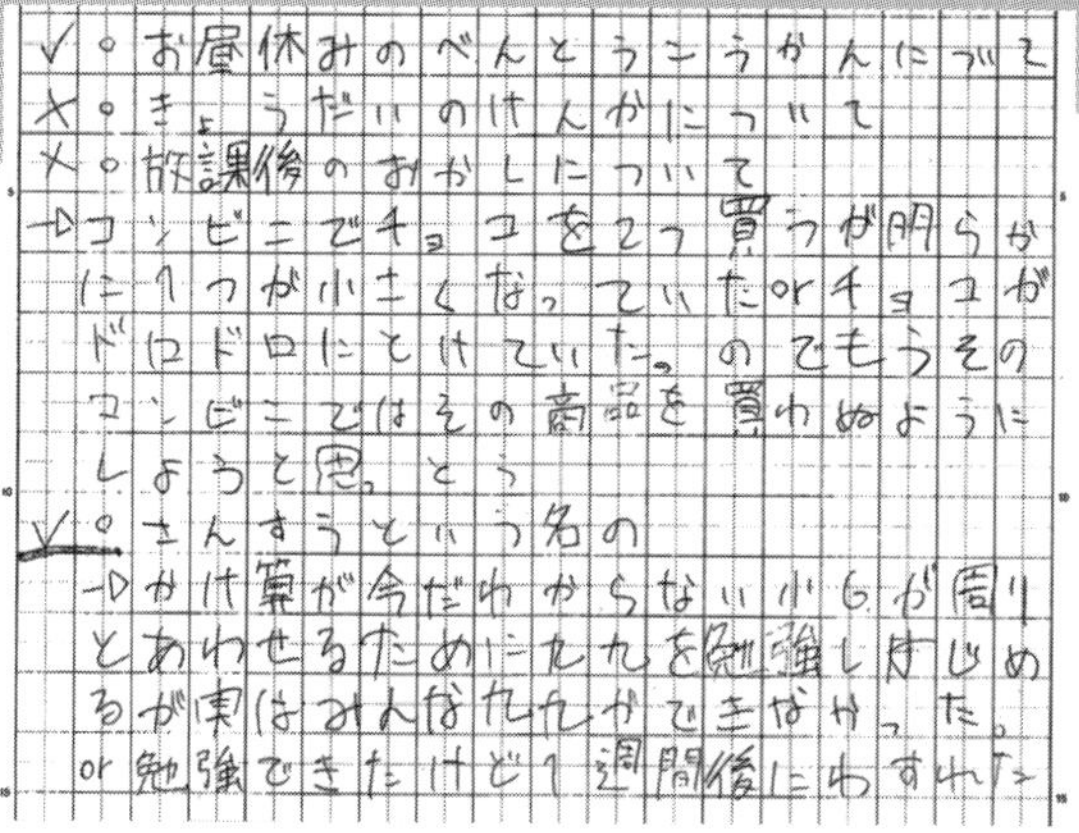
✓・お昼休みのべんとうこうかんについて
×・きょうだいのけんかについて
×・放課後のおかしについて
→コンビニでチョコを2つ買うが明らかがに1つが小さくなっていたorチョコがドロドロにとけていた。のでもうそのコンビニではその商品を買わぬようにしようと思。と
✓・さんすうという名の
→かけ算が今だわからない小6が周りとあわせるために九九を勉強しはじめるが実はみんな九九ができなかった。
or勉強できたけど1週間後にわすれた

エナのノート

①書く題材を考える

書く題材を考える時に、自分が書きたいことや書けそうなことをリスト形式にするのは、よくある方法です。エナは、いったんリストを作った後で、チェック(✓)印やバツ(×)印などをつけて、何にしようか検討《けんとう》しています。

もちろん必ずしもリスト形式でなくても構《かま》いませんが、一つ一つを細かく検《けん》討《とう》する前に、まずはリスト形式でアイディアをたくさん書いて、その次に、より詳《くわ》しく検《けん》討《とう》していくと良いでしょう。どの題材にするか悩《なや》んだ時には、候《こう》補《ほ》を並《なら》べてどちらにするか比《ひ》較《かく》することもできます(★ソラ)。

★のノートは79ページのQRコードから見ることができます

②構成やストーリーを考える

書く題材が決まったら、次にそれについて何を、どんな順番で書くのかを考える必要がありますね。その整理の仕方もいろいろあります。例えば、説明文だったら、その題材について書きたいことの小さな見出しをリストにして、どういう順番で書くのか、あるいは書かないかを考える(★ハンナ)。エッセイだったら、そこで起きた出来事を時間順に整理して詳《くわ》しくしたり(★**カナエ**)、出来事と感情を結びつける「感情曲線」をノートに書きながら、展《てん》開《かい》を整理することもできます(★サキ)。

他にも、イメージマップを使って連想を広げたり(★メイ)、お話だったらその舞台《ぶたい》の地図を描《えが》いて空想を膨《ふく》らませたり(★アカリ)、さらにはマンガ風にストーリーを考えたり(★メグミ)……。日頃《ひごろ》、僕《ぼく》が接している子たちのアイディアの広げ方は、実に多種多様で、そこに正解はありません。

ただ、僕《ぼく》が彼《かれ》らに強く勧《すす》めているのは、ノートを「きれいに」使おうとしないこと。ノートをきれいに書きたがる子は毎年出てきますが、ノートは「作品」ではありません。見栄《みば》えを気にしていては、思考が自由に解き放てないのです。サトミのノートのように、矢印をひっぱったり、マルで囲《かこ》んだり、線を引いて消したり、書き加えたりが自在にでき、その軌跡《きせき》が全て残ることこそが、紙のノートの醍醐味《だいごみ》。ぐしゃぐしゃに「汚《きたな》く」使いましょう。

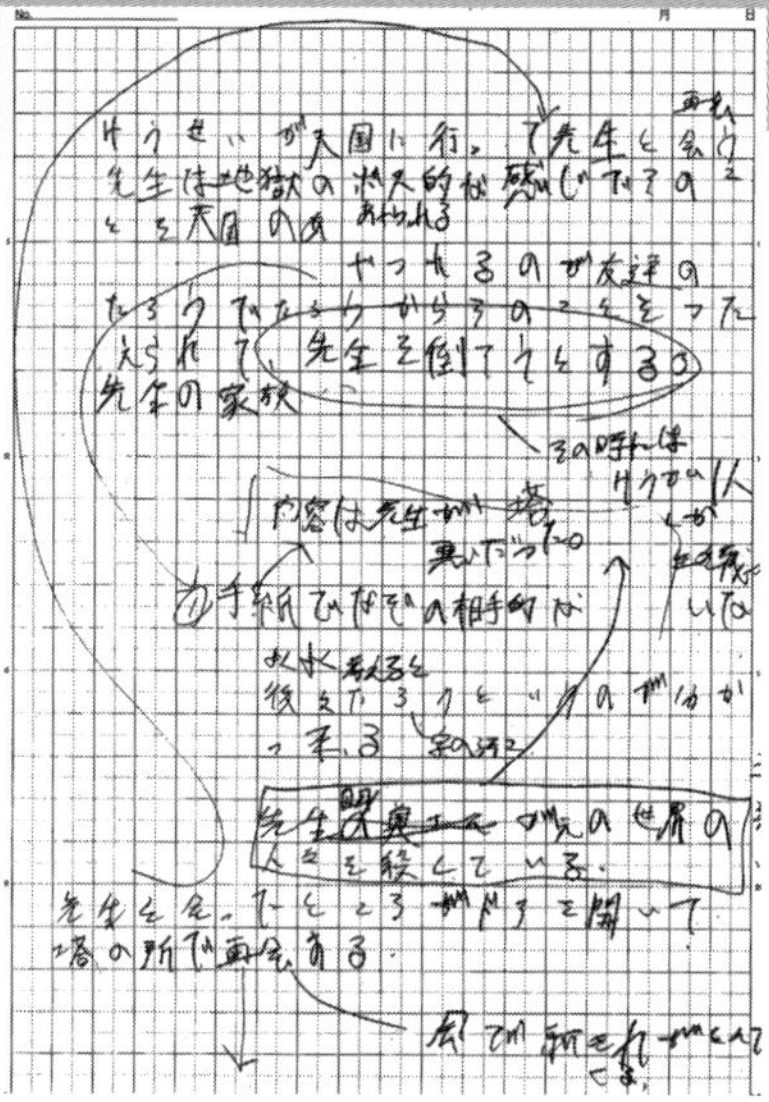

サトミのノート

チサトのノート

③登場人物の設定を考える

物語を書く子の中には、ストーリーよりも登場人物の設定《せってい》に力を注ぐ子もいます（ちなみに、作家のあさのあつこさんも同じだそうです）。チサトは、物語の登場人物の設定《せってい》を、年齢《ねんれい》や家族だけでなく、なんと視力《しりょく》や足のサイズまで考えていました。実際《じっさい》には作中でここまでの情報《じょうほう》を使うことはないでしょうが、ここまで考えることで、人物のイメージがありありと浮《う》かびますね。そうしてイメージが固まってきたキャラクターが、まるで現実の人間のように、自分から動き出してくれたら、ストーリーはあとからでも広がっていくもの。時には人物のイラストを描《えが》いたり（★アミ）、人物同士の関係図も考えたりしながら（★トシ）、あなたのキャラクターが動き出すのを待ってみましよう。

④ノートを使いながら書く

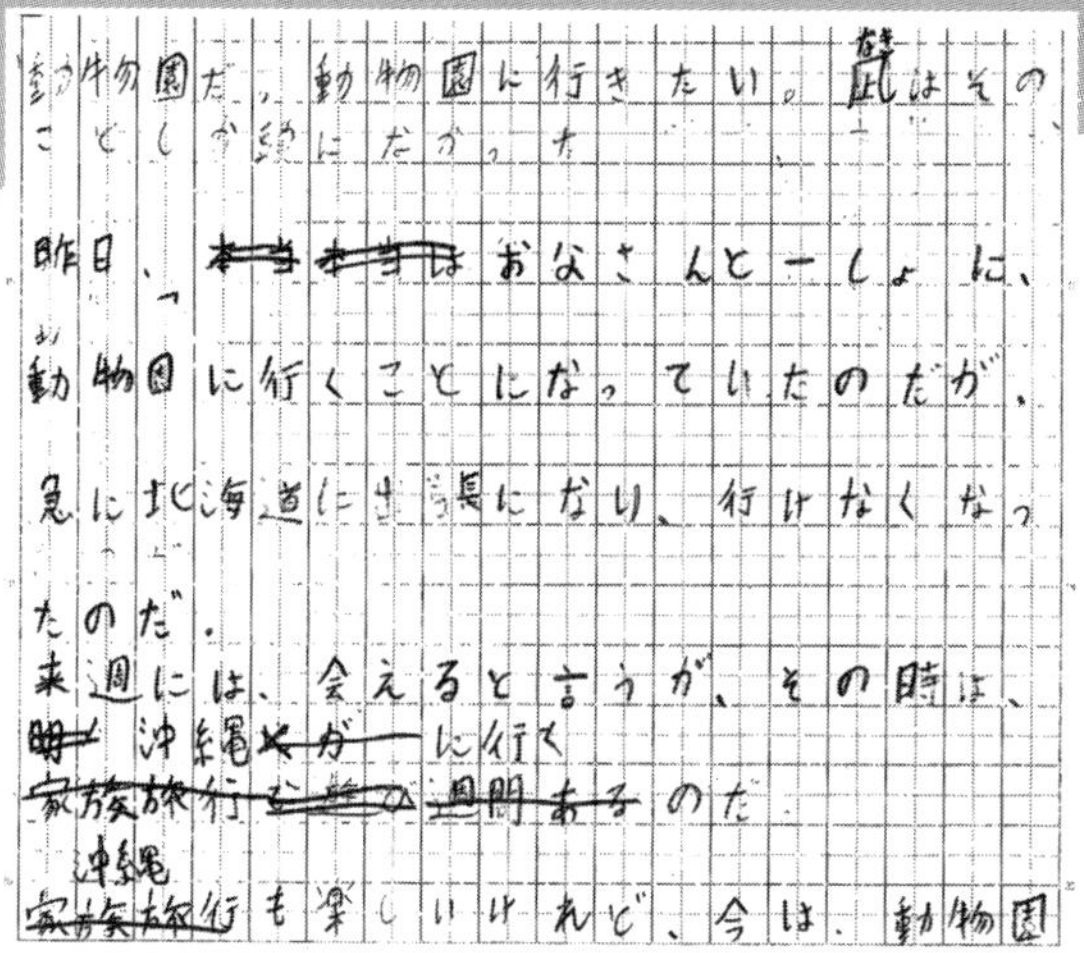
動物園だ、動物園に行きたい。頭はその
ことしか頭になかった
昨日、~~本当本当は~~おなさんと一しょに、
動物園に行くことになっていたのだが、
急に北海道に出張になり、行けなくなっ
たのだ。
来週には、会えると言うが、その時は、
沖縄に行く
のだ
沖縄
も楽しいけれど、今は、動物園

エツミのノート

僕《ぼく》の「作家の時間」では、ノートは、基本的に題材や構成《こうせい》を考える段階《だんかい》で使う子が多いようです。ある程度《ていど》の構想《こうそう》がまとまると多くの子はパソコンでの執筆《しっぴつ》作業に移《うつ》りますが、中には、さらに紙のノートを使う子もいます。

例えば、読み手を惹《ひ》きつける上で大切な書き出しを比較検討《ひかくけんとう》する(★チヒナ)、意見文を書く際《さい》に調べたことをノートにメモして、それを見ながら書き続ける(★サラ)、などというように。作品の下書きをノートに書く子もいます。エツミは、ノートに一行おきに書いた下書きを読み直し、推敲《すいこう》しています。前の表現を残したまま新しい表現を考えられるのが、ノートの強みと言えるでしょう。

ノートの使い方に正解はありません。あなたのノートは、その上で色々と試せる「言葉の実験室」です。ぜひ、紹介《しょうかい》してきたノートの使い方を参考にして、あなたのライティング・プロセスを支える、あなたにぴったりの使い方を発見してください。ちなみに、67ページに書いたアンケートで、一番多くの子が挙《あ》げた助言が、ノートにメモ書きをすることでした。次の二名のコメントを、紹介《しょうかい》しておきましょう。

◇◇◇◇◇◇◇◇◇◇◇

とりあえず、書くことがいいと思います。頭でイメージしたりして書くのもいいけどそれをどんどんメモしていけばいいんじゃないかなと思います。

（エナ）

アイデアはたくさん出しておいたほうがいいと思います。ほんとに小さなことでもたくさんだすと、もし今やってる作品が書きづらくなったときに、別の作品の選択肢《せんたくし》が増えるからです。

（ケンスケ）

あなたもノートを言葉の実験室にして、書くことを楽しんでくださいね。

このQRコードから★印の子どもたちのノートを見ることができます。

6　もう一度「他者」と向き合う

――作家はリレーの第一走者ではあるだろうが、アンカーではない。
（パトリック・ネス『怪物はささやく』6頁）

成績、運動能力、見た目、友達《ともだち》関係、家庭の経済状況《じょうきょう》……。あなたは、すでに他者との様々な比較《ひかく》やそこから来る優劣《ゆうれつ》に身をさらしています。大人の中には、その結果、「得意／苦手」という評価軸《ひょうかじく》を内面化して、「〇〇が悪い（できない）から自分はダメだ」と自分を苦しめる人や、あるいは自分の身を守るためにその「〇〇」の価値《かち》を否定《ひてい》する人も少なくない。そこで、こういう他者の視線《しせん》から一度離《はな》れよう。僕《ぼく》はそう書いてきました。

しかし、実のところ、僕《ぼく》たちは決して他者から離《はな》れることはできません。

というのも、そもそも、あなた自身の中に他者は深く入り込《こ》んでいるから。

あなたはこれまで、家族・友だち・先生などの様々な人の言葉を聞き、ふるまいを見てきました。また、他の人が作った漫画《まんが》・動画・小説などにも多く触《ふ》れてきたことでしょう。あなたの好みや価値観《かちかん》を作ってきたのは、そうした経験《けいけん》の総体です。どんなものに美しさを感じるか、何が面白いのか、どんな生き方をしたいのか。あなたが「自分のもの」と思っている感覚のどのひとつをとっても、そこに他者が介在《かいざい》しないものはありません。あなたをおびやかす他者は、今のあなたを作った存在でもあり、あなた自身の中にすでに入り込《こ》んでいる。そのことを、僕《ぼく》たちは受け入れなくてはいけません。

あなたは、他者からの視線《しせん》にさらされ、それに苦しめられたり反発したりするけれど、それでも、他者は既《すで》にあなたの中に溶《と》け合い、あなたを形作っている。

そんな複雑《ふくざつ》な他者と、書くことにおいてどうつきあっていけばいいのか。この章ではそんな問いを扱《あつか》いましょう。

1 自分という他者と向き合う

「自己と他者」というように、自分と他者は異《こと》なるものと捉《とら》えられがちですが、一人の人間の中にもいろいろな側面があり、また、それは時間によっても変化します。あなたにも、自分の中に優《やさ》しい心情や醜《みにく》い心情を同時に見つけたり、何かのきっかけで数年前とすっかり変わってしまった自分に気づいたりすることがあるでしょう。

それと同じように、目の前の文章を「書いていた」自分と、それを「読んでいる」自分も、決して同一ではありません。書き手としてのあなたが書いた文章を、読み手としてのあなたが読む。そこでは二人の他者が出会っているのです。

この時、読み手としてのあなたは、かつて自分が書いた文章にどう反応《はんのう》するでしょうか。ある時には、それまで想像《そうぞう》もしなかった自分の新しい一面を文章の中に見つけて、驚《おどろ》くこともあります。そういう驚《おどろ》きと発見が生じる瞬《しゅん》間《かん》は、なにものにも代えがたい書くことの喜《よろこ》びです。また、そこから、過去《かこ》の自分と今の自分の対話が自然と始まることもあります。「こんな一面が自分にあるなんて知らなかった」「この時の自分はそんなふうに感じていたんだ、それはなぜだろう」と、読み手としてのあなたは、自分の書いた文章をめぐって、とりとめもない解釈《かいしゃく》の旅に誘《さそ》われることでしょう。書き、読むことは、自分という他者との対話なのです。

でも、あなたがいつも自分に好意的な読み手かというと、決してそんなことはありません。むしろ、僕《ぼく》たちはつい誰《だれ》か架空《かくう》の人物を脳内《のうない》に住まわせて、自分の文章を辛口《からくち》で批評《ひひょう》してしまう。「こんな文章、ありきたりでつまらない」「読む価値《かち》がないね」「そもそも読みにくい」「駄作《ださく》だ」「才能《さいのう》もないのに馬鹿みたい」。こうして僕《ぼく》たちは、自分の声で自分を縛《しば》ってしまうのです。

書き手を襲《おそ》う内なる自己検閲《けんえつ》の声にどう抵抗《ていこう》するか。それは、経験《けいけん》や技量《ぎりょう》を問わず、全ての書き手にとって切実な問題です。今や自分に本当にあったのかすら定かではない、作品の出来不出来を気にせずにただ楽しく書いたような時代に、もどることはできないのでしょうか。

最近僕《ぼく》がやっているのは、この自己検閲《けんえつ》の声の主《ぬし》に「ケンエツくん」と名前をつけること。ケンエツくんは意地悪で気まぐれにやってくる、なかなか手に負えないキャラクターですが、ひとまずこうして自分に向かうネガティヴな感情を「他の誰《だれ》かの感情」に転換《てんかん》することで、少しでも切り離《はな》すことができる。他人だから、「はいはい、あっちに行ってね」と言うこともできます。何度もくるけれど、その度に「あっちに行ってね」と対応《たいおう》します。

自己検閲《けんえつ》の声を生むのは、結局のところ自分の文章への自信のなさや、そこから生じる不安です。そして、それを完全に解消するのは難《むずか》しい。僕《ぼく》たちにできるのは、自分だけでなく全ての書き手がこの不安に襲《おそ》われる事実をたよりに、自分なりの対処法《たいしょほう》をなんとか見つけることくらいでしょう。

そして、この不安は、悪いことばかりではない、とも伝えておきたい。というのも、この不安を抱《かか》えているあなたは、他の人に読んでもらえる良い文章を書きたいと、きっと心のどこかで願っているのだろうから。あなたは、すでに他者に開かれようとしている。他者の視線《しせん》は、確《たし》かにあなたを苦しめるけれど、同時に、それがあなたを書くことに向かわせもする。結局のところ、書くことと他者をめぐるその二面性を、僕《ぼく》たち書き手は受けとめて進んでいくしかないのでしょう。

2 実在の他者と向き合う

自分という他者が、あなたの内に住む想像《そうぞう》上の他者だとしたら、あなたがそれよりも恐《おそ》れているのは、生身の、実在の他者に読まれ、評価《ひょうか》されることかもしれません。

大前提《だいぜんてい》として、書き手には自分の書いた文章を誰《だれ》にも見せない権利があることを忘《わす》れずにいましょう。書いたものを誰《だれ》かに見せる必要はなく、そのまま捨《す》ててもいい。自分という他者だけが読むにとどめてもいい。でもその上で、やっぱり自分の書いたものを誰《だれ》かに読んで、反応《はんのう》してほしい。いったん表現の楽しさに目覚めたら、そう思う人も少なくないはずです。

そう思ったら、まずは、仲の良い友達《ともだち》や信頼《しんらい》できる学校の先生などに、勇気を出して文章を読んでもらいましょう。その時に厳《きび》しいコメントをされるのが不安だったら、「いいなと思ったところを教えて」とお願いしましょう。何しろ、「自分という読者」は辛口《からくち》な評論家《ひょうろんか》になりがちです。よほど経験《けいけん》を積まないと、自分の文章の欠点ばかりが目について、良いところは見つけられません。そんな時に他の人の手を借りて自分の文章の良さに気づくことは、あなたが書き手として成長する大事なステップでもあります。

そうして、自分の文章に読者から反応《はんのう》をもらえた経験《けいけん》は、照れくさくもあるものの、書き手として歩き始めたばかりのあなたを、しっかりと後ろから支えてくれます。自分という人間の一部が、誰《だれ》かに届《とど》いたという手応《てごた》えが、確《たし》かにある。その手応《てごた》えが、あなたの次の足取りをたしかにする。書いたものはそうやって読み手に受け取られ、読み手の人生に少しだけ影響《えいきょう》し、その反応《はんのう》がまた書き手に届《とど》いて書き手の人生を変えていく。その豊かな循環《じゅんかん》が起きる時、書くことは読むこととつながり、一人の営《いとな》みから人々のやり取りに変わっていきます。

完成前の下書きをより良くするために、他の人に読んでもらうこともできます。作家スティーヴン・キングは、自分の著作《ちょさく》の中で、「ドアを閉《し》めて書け。ドアをあけて書きなおせ。」という言葉を紹介《しょうかい》しています(『書くことについて』72頁)。書く時は一人の孤独《こどく》な時間が必要だが、書き直す段階《だんかい》では、自分の心のドアを開けて、他の人の助けを借りる時間が必要だ、という意味でしょう。

でも、ただ助言を求めればいいわけではありません。そもそも文章への助言とは、文章をより良くするためのものなのに、これが本当に難《むずか》しい。読み手と書き手が大事にしたい「良さ」が一致《いっち》しない場合も多いからです。

そこで、誰《だれ》かの助言を求める時に大事なのが、「助言を聞く素直さと、聞かない勇気を持つ」ことになります。

「助言を聞く素直さ」とは、相手の助言の背後《はいご》にある「良さ」の感覚にいったん耳を傾《かたむ》けること。書き手は文章を書き始めますが、その意味を最終的に確定《かくてい》するのは読み手なのだから、書いたものが、書き手の意図《いと》通りに受け取られることはまずありません。そのため、あなたの意図《いと》はどうあれ、「この人にはこう読めた」事実を、まずは素直に受け入れる必要があります。そしてできれば、「この人がそう読んだのは、どんな「良さ」の感覚があるからだろうか」まで考えてみる。そうすれば、相手の助言の背後《はいご》にある思いも受け取ることができるでしょう。

しかし、より難《むずか》しく、大事なのは、助言を聞かない勇気を持つことです。書いた文章の意味を確定《かくてい》するのが最終的に読み手だとはいえ、書き手には自分が書きたいものを書く権利がある。助言をもらう時、あなたは助言者の大事にしたい「良さ」が何なのかを想像《そうぞう》した上で、それが自分の大事にしたい「良さ」と一致《いっち》しているのかを、考えなくてはなりません。そして、一致《いっち》していないのであれば、時には勇気を持って助言を無視《むし》する必要があります。そうでないと結局、自分が書く動機を誰《だれ》かに手渡《てわた》してしまうことになる。また、助言者が複数いる場合は、えてして異《こと》なる方向への助言をするもの。それを全て自分の文章の中に取り入れたら、文章はどんどん丸く、つまらなくなり、結局のところ誰《だれ》の心にも届《とど》かない退屈《たいくつ》なものになるだけでしょう。

全ての読み手を満足させる文章などありません。あなたにとって大事なのは、書く営《いとな》みに、あなた自身が満足すること。それを忘《わす》れずにいてください。

なお、実在する他者に文章を見せる勇気がない時には、近年話題になっているChatGPTなどの文章生成AIに「助言」してもらうのも一つの方法です。文章生成AIは、インターネット上に蓄積《ちくせき》された膨大《ぼうだい》な言語データをもとにして、メールなどの実用文はもちろん、エッセイや物語などの創作《そうさく》に関しても、アイディア出しの手伝いをしてくれたり、下書きの文章にコメントしてくれたりします。日進月歩の分野なのでこの本では詳《くわ》しく扱《あつか》いませんが、十三歳《さい》以上であれば一定の条件のもと、使用できるものがあるので、興味《きょうみ》を持った方はぜひ利用してみましょう。実はこの本も、人間の読み手と、ChatGPTの両方の助言をもらいながら書き上げました。

話すことと違《ちが》って、書いたものは残ります。自分の思考や感情を文字に記して、未来に向けて残すことは、「いま・ここ」にいない誰《だれ》かに、今の自分を届《とど》けることでもあるのです。

繰《く》り返すと、あなたには「誰《だれ》にも見せない」権利がある。それでもいい。すでに書いたように、あなたの中にも他者は入り込《こ》んでいて、あなたの書いた文章は、もはや輪郭《りんかく》を失ったその他者との共同作業でもあったのだから。良くも悪くも、あなたはもう他者に開かれている。

でも、一歩踏《ふ》み出して、あなたの書いた文章を実在の他者に開くと、それは直接外の世界とつながり始めます。そして、周りの人の世界をちょっと豊かにしたり、めぐりめぐってあなた自身に思いがけない喜《よろこ》びをもたらしたりすることもある。そうでないこともある。書いたものを外に開くことは一種の賭《か》けですが、その賭《か》けがもたらす豊かなつながりの可能性《かのうせい》を、どうか忘《わす》れずにいてください。

7 書き手の権利10か条

――書くことは、危険な賭《か》けだ。保証《ほしょう》は何もない。一か八かでやってみなくてはならない。私は喜んで賭ける。そうすることが大好きだから。

（アーシュラ・K・ル＝グウィン『暇なんかないわ　大切なことを考えるのに忙しくて　ル＝グウィンのエッセイ』63頁）

僕《ぼく》たちは、他者の視線《しせん》をいったんは離《はな》れ、再《ふたた》び、他者のいる世界に戻《もど》ってきました。他者は、あなた自身を作ってきた存在でもある。また、他者の存在は、あなたの不安の原因であると同時に、喜《よろこ》びの源泉《げんせん》でもある。この矛盾《むじゅん》を、あなたは矛盾《むじゅん》のままで受け止める必要があります。

そして、この矛盾《むじゅん》に満ちた世界を、あなたはこれから書き手として生きてゆくのでしょう。そんなあなたに、ぜひ贈《おく》りたいものがあります。

The Rights of the Writer
This poster is part of NATE's writing project (nwp.org.uk), led by Dr Jeni Smith, UEA, and Simon Wrigley, Buckinghamshire School Improvement Service
1. The right NOT to share.
2. The right to change things and cross things out.
3. The right to write anywhere.
4. The right to a trusted audience.
5. The right to get lost in your writing and not know where you're going.
6. The right to throw things away.
7. The right to take time to think.
8. The right to borrow from other writers.
9. The right to experiment and break rules.
10. The right to work electronically, draw, or use a pen and paper.
With acknowledgements to Daniel Pennac and Quentin Blake © Simon Wrigley 2011
NATE

それは、「書き手の権利10か条」。イギリスのナショナル・ライティング・プロジェクトUKという団体が唱《とな》えた、誰《だれ》もが書き手として持っている権利のことです(ダニエル・ペナックの「読者の権利10ヵ条」を真《ま》似《ね》したものだと思います)。

「読者の権利10ヵ条」は、「読まない権利」からはじまる、10の権利のことです。くわしくは、ダニエル・ペナック『ペナック先生の愉快な読書法——読者の権利10ヵ条』を読んで下さい。

1 読まれない権利

2 書き直したり、消したりする権利

3 好きな場所で書く権利
4 信頼《しんらい》できる読み手を得る権利
5 書いている途中《とちゅう》で道に迷《まよ》う権利
6 放り出す権利
7 考える時間をとる権利
8 他の書き手から借りる権利
9 実験をしたりルールを破《やぶ》ったりする権利
10 パソコンを使ったり、絵を描《えが》いたり、紙とペンで書いたりする権利

書くことは、未知の世界を旅する冒険《ぼうけん》のようなもの。その勇気ある賭《か》けに出る書き手の皆《みな》さんを、きっと支えてくれる10か条です。

1 読まれない権利

あなたの文章は、あなたのもの。広く公開するか、特定の誰《だれ》かに見せるか、

誰《だれ》にも見せないか、それを決めるのはあなた自身です。自分の読書記録、ざわついた感情を落ち着かせるための「誰《だれ》にも出さないメール」、アイディアのメモ……誰《だれ》にも見せない文章を、僕《ぼく》もたくさん書いています。書いた文章の読者を決められる。それは、書き手のもっとも大切な権利の一つ。たとえ学校の授業《じゅぎょう》であっても、本当はその権利は尊重《そんちょう》されていい。学校の課題で書いた文章をクラスメートに見せるのがどうしても嫌《いや》な時は、まずは先生に相談してみましょう。

2 書き直したり、消したりする権利

最初からきれいな文章やまとまった「作品」をつくろうと思わないこと。むしろ、ぐちゃぐちゃでかまいません。書き直したり、線を引いて消したりすれば良いのです。

ただ、ひとつアドバイスを。消す時は、消しゴムで消したりテキストを削《さく》除《じょ》したりするのではなく、線を引いたり、テキストをコピー&ペーストで他

の場所に移動したりしましょう。決して「なかったこと」にしないこと。やめたものも含《ふく》めて、あなたが書くことに向かった時間をまるごととっておくのです。

3 好きな場所で書く権利

僕《ぼく》は、中高生の頃《ころ》、寝《ね》る前のベッドでノートに文章を書いていました。あなたはいつ、どこで書くのが好きですか。自分が集中して、リラックスして書ける場所を見つけましょう。学校でも書くのに良い場所を見つけたら、授《じゅ》業《ぎょう》の作文もそこで書いていいかどうか、思い切って先生に聞いてみましょう。

4 信頼できる読み手を得る権利

あなたが書き手になるには、信頼《しんらい》できる読み手の存在が必要です。信頼《しんらい》できる読み手とは、あなたの文章を読んで背中《せなか》を押してくれる人のこと。褒《ほ》めてくれるか、共感してくれるか、改善点《かいぜんてん》を言ってくれるか、ただ黙《だま》っていてくれるか。それはどれでもいいのだけど、あなたがその人に見せた後で、「次も書きたいな」と思えるかが大事。そんなふうに思える「信頼《しんらい》できる読み手」を探《さが》しましょう。

そして、できれば、あなた自身が、書き手としてのあなたの信頼《しんらい》できる読み手になれますように。書き手としての自分を否定《ひてい》しないこと。「こんな文章、なんの価値《かち》もない」という呪《のろ》いの言葉を、決して自分に向けないこと。

5 書いている途中で道に迷う権利

書いていたら、自分が何を書いているのかよくわからなくなった。それは、大きなチャンスです。最初から最後まで予定通り、計画通りに進んでいたら、それは書くことがあなたに何の変化ももたらさなかったということ。書きながら道に迷《まよ》ってしまうのは、あなたが書き手として何か新しい発見をする前《まえ》触《ぶ》れです。まずは、時間をかけて迷《まよ》ってみましょう。どうしても迷《まよ》い道から抜《ぬ》け出せなくなったら、誰《だれ》かに話を聞いてもらいましょう。アドバイスはいりません。聞いてもらうだけでいいのです。

6 放り出す権利

書いているものが気に入らない、これ以上進めない、書けなくなった……。そんな時は、いったん手放しましょう。放り出せばいいのです。放り出すのが気持ち悪い人には魔法《まほう》の言葉をもう一度教えましょう。最後に「つづく」と書くだけ。それで、いったんおしまいにできます。でも、決して自分の文章を消したりしないこと。文章を書いていた今のあなたの足跡《そくせき》をちゃんと残すこと。そうすれば、手放したものは、いつかあなたのところに帰ってきます。

7 考える時間をとる権利

文章を書く営《いとな》みは、実際《じっさい》にあなたがペンを手にとったりキーボードを打ったりする、そのはるか前から始まっています。頭の片隅《かたすみ》で考えごとをしながら散歩をしたり、書くことを忘《わす》れて遊んだりする中でも、書くプロセスは少しずつ進んでいます。いざ本当にペンをとって書き始めるハードルって、けっこう高いもの。いずれ向かうハードルですが、少しはその手前で自分をうろうろさせてあげましょう。ちなみに僕《ぼく》は、この本について考え始めてから執筆《しっぴつ》を始めるまでに、一年以上かかりました。

8 他の書き手から借りる権利

個性《こせい》やオリジナリティが大事という声に惑《まど》わされて、自分にはそんなもの書けない、と思ってしまう人がいます。大丈夫、他の書き手から、どんどん借りていきましょう。魅力的《みりょくてき》な題材、好きな言い回しやセリフ、使ってみたい言葉。そういう、あなたが好きで真似《まね》するものが、次第にあなたの文章の輪郭《りんかく》を作っていきます。

もし書けることがなかったら、それを自分のものとして公開するのでない限り、誰《だれ》かの文章を丸ごと書き写してもいい。書き写した文章にはオリジナリティはないかもしれませんが、それを選び、書き写したあなたの中に残った感覚は、間違《まちが》いなくあなただけのものです。

9 実験をしたりルールを破ったりする権利

文章にはいろいろな約束事があります。皆《みな》さんも学校で先生に原稿用紙《げんこうようし》の使い方を教わったり、テン(読点《とうてん》)の打ち方を直されたりしたことがあるでしょう。そういう約束事は、書き手と読み手の間で誤読《ごどく》が生じにくいように自然にできてきたもの。知って損《そん》はありません。

でも、究極《きゅうきょく》のところは、書き手には自分の思うように書く自由があります。失敗や逸脱《いつだつ》を恐《おそ》れないで、色々な言葉を組み合わせたり、わざとルール違反《いはん》したり、思い切り遊んでみましょう。こういう言葉の実験遊びを楽しめる人を詩人と呼びます。目指せ詩人！

10 パソコンを使ったり、絵を描いたり、紙とペンで書いたりする権利

あなたは書く時にどんな道具を使いますか？　お気に入りのペン（鉛筆《えんぴつ》やシャーペンも）やノートなど、自分が心地よい書き道具を持っていると、書くことも楽しくなってきます。また、大きくわけて紙とペンのようなアナログの道具とパソコンやスマホのようなデジタルの道具でも、書く体験は大きく異《こと》なります。雑《ざつ》に色々と試せる良さは紙とペンに軍配《ぐんばい》が上がるし、長文を書いたり、きれいな仕上がりになったりするのは、パソコンのほうが向くようです。今は音声入力も使いやすくなりました。

僕《ぼく》は、ある程度《ていど》構想《こうそう》が固まるまではペンとノートを使い、そろそろ書けると思ったらパソコンに移《うつ》り、行き詰《づ》まったらまたペンとノートに戻《もど》ります。あなたもぜひ、いろいろな道具を使ってみて、自分にとって良い使い方を探《さが》してください。

終章　書くことの魅力

――自分の考えを深めていくためには、ひとりになる必要がある。ひとりの場所で、ひとりの時間に、自分ひとりと向き合って書くからこそ、ひとつの考えが深まっていく。

（古賀史健『さみしい夜にはペンを持て』138頁）

僕《ぼく》は書くことが好きです。本書のライティング・プロセスでも、書きながら「自分はこんなことを考えているのか」という発見がたくさんありました。この本は小説ではありませんが、それでも僕《ぼく》は書きながら、書くことについての僕《ぼく》自身の物語を書いてきたような、そんな感覚を抱《いだ》いています。

書いている時はずっと一人の世界。でも、その孤独《こどく》はとても豊かなもの。そういうゆったりとした時間を、ぜひ皆《みな》さんにも体験してもらえたら、と思っています。

ここで、本書の締《し》めくくりに、長くなりますが、ある生徒の文章を紹介《しょうかい》しましょう。書き手は、中学一年生(当時)のナナミさん。彼女《かのじょ》が仲間とプロジェクトとして企画《きかく》した、あるイベントの帰り道の出来事を書いたエッセイです。

◇◇◇◇◇◇◇◇◇◇◇◇◇◇◇◇◇◇◇◇◇◇◇◇◇◇◇◇◇◇◇◇◇◇◇◇◇◇◇

「駅を通り過ぎて、」

「お疲《つか》れ様でした! ありがとうございました!」

無事、イベントが終了した。十二月からやってきたこのプロジェクトは、楽しかったけれど、大変でもあった。今日はそのプロジェクトの第一弾《だん》だった。というのも、もしかしたらまた、イベントを開催《かいさい》するかもしれないからだ。たぶん、開催《かいさい》しないと思うけど。そんなこんなで疲《つか》れ果てた私は友達《ともだち》のお母さんが駅まで届《とど》けてくれるということなので、乗せてもらった。

駅に着いて適当《てきとう》にスマホをいじってからホームに向かう。途中《とちゅう》、駅員さんに「乗る電車が快速《かいそく》なのだが、小諸《こもろ》駅には着くのか」ということも確認《かくにん》した。車内に人は少なく、電車の走る音だけが静かに鳴っていた。景色は走るように飛んでいったけれど、夕日に照らされつつある木々はとても綺麗《きれい》だった。疲《つか》れた私にとって、それは見物《みもの》だった。二駅、過《す》ぎたあたりで、ふとこんなことも思った。「このまま、永遠に電車が走ってくれればいいのに。降《お》りる必要なんて、なくなってしまえばいいのに。」中学生にしたら、なんと無責任《むせきにん》を言ってるんだろうと思った。けれど、これは自分に酔《よ》っているとかではなく、心の底から思った。最近、忙《いそが》しくて楽しいけれど、その分悩《なや》みも増《ふ》えている。毎日が充実《じゅうじつ》してて良いと思うけど、中学生ながらに全て投げ出してどこかに行きたいと思っていた。後々考えたら笑えてくる話だ。そんなことを考えていたら、だんだん眠《ねむ》くなってきたので駅に着くまで寝《ね》ることにした。静かな車内の中は寝心地《ねごこち》が良かった。

「お忘《わす》れ物のないよう、お気をつけください」聞き慣《な》れたアナウンスが耳を通り抜《ぬ》けた。

突然《とつぜん》、パッと起きるとそこには見慣《みな》れない風景が広がっていた。けれど、田舎《いなか》の風景なんてほぼ同じなので向かい側に座《すわ》っていたお姉さんに聞くまで今どこを走っているのか分からなかった。

「すみません、あの、次の駅はどこですか？」

「次の駅、は、たぶん滋野《しげの》だと思います。」

私はお礼を言ってから、席を替《か》え、すぐに確認《かくにん》した。滋野《しげの》は、小諸《こもろ》駅の次の駅だった。やってしまったと思った。前にもこんなことがあった。前のときはどうやって家に帰ったのかと思い出していると、さっきのお姉さんが私のほうに近づいてきた。

「あの、でもこれ快速《かいそく》なので次停車《ていしゃ》するのは田中だと思います。」

そこで、この電車が快速《かいそく》だったことに気付く。

「あ、ありがとうございます」

田中駅発、小諸《こもろ》駅着の電車を調べて帰りの電車があることを確認《かくにん》し、駅に着くまでしばらく電車で待った。見慣《みな》れないような、見慣《みな》れたような景色が走る。田舎《いなか》の風景なんて町を一つ越《こ》えたくらいじゃ変わらないか、と思った。

「田中、田中、お降《お》りの際《さい》はお忘《わす》れ物にご注意ください。」と今日だけで三回は聞いたであろうアナウンスが流れた。私は立ち上がってドアの前に立つ。ドアが開くと外の生温かい空気が私の髪《かみ》を一瞬《いっしゅん》にして崩《くず》した。階段《かいだん》を上がり反対側のホームのベンチに座《すわ》る。辺りを見回すとまだ明るくて不意に、駅を出て周辺を散策《さんさく》してみたくなった。私は、〝やってしまった〟という感情から〝ワクワク〟という感情に切り替《か》わっていた。きっとこのときからだろう。独《ひと》りを好むようになったのは。私は、とっさにスマホを取り出してまず友達《ともだち》に事後報告《ほうこく》をし、次にドキュメントを開いた。辺りをよく見回し、文字を打ち込《こ》む。この経験《けいけん》や感情を忘《わす》れるまいと直感的にそう思った。そう、このエッセイの前の部分は電車の待ち時間に書いたものだ。結局、駅は出ずにお利口《りこう》に電車を待つことにした。それでも、少し冒《ぼう》険《けん》できたような気持ちになれて楽しかった。

着いた。いつもの、見慣《みな》れた駅。改札を抜《ぬ》けて冷たい空気に当たる。これから歩いて家に帰ると思い、重くなった足を持ち上げて歩く。不意に、お腹が減《へ》ったと感じた。甘《あま》いものが食べたいと思った私の目に止まったのは横断《おうだん》歩道の向こう側にあるあんみつ屋さん。一瞬《いっしゅん》のためらいはあったけれど、これは行くしかないと思った。かじかんだ手でお店の扉《とびら》を強く引っ張る。店内は温かく出されたお茶を流し込《こ》んでから一息ついた。

「これ、お願いします」

〝あんみつ(黒蜜《くろみつ》)×1〟と書かれた紙を渡《わた》す。あんみつを待っている間読んでいた『青くて痛《いた》くて脆《もろ》い』を読んだ。10ページは進んだだろうか。あんみつが来た。たくさん動いていい感じに温められた胃《い》にはとても美味《おい》しく感じた。いや、元々そのあんみつが美味《おい》しかったのもあるだろう。あんみつが口の中で崩《くず》れる。蜜《みつ》が崩《くず》れたあんみつを飾《かざ》る。白玉があんみつの崩《くず》れやすい食感に代わって噛《か》みごたえのある食感を出す。お茶で物足りない水分をフォローする。
一口《ひとくち》一口、わずかな味の違《ちが》いが私を楽しませた。

◇◇◇◇◇◇

1 未来の自分への手紙

大きなイベントが終わった後の満足感とけだるさ。ふと、すべてを投げ出したくなる気持ち。はじめての駅についた時の、ちょっと冒険《ぼうけん》するようなワクワク感。いつもの駅に戻《もど》り、お店に入った時のほっとした気持ち。中学生の日常《にちじょう》が、ここにたくさん詰《つ》め込《こ》まれている。それにまぶしささえ感じながら、最後まで駆《か》け抜《ぬ》けるように読んだことを、昨日のように覚えています。

もちろん、文章を添削《てんさく》しようとすればもっと良くなる余地《よち》はあるのかもしれません。でも、素敵《すてき》な文章です。彼女《かのじょ》がこんなふうに自分の気持ちを書き残したことを、僕《ぼく》は嬉《うれ》しく感じました。

ナナミさんは、電車を乗り過《す》ごしたあと、スマホでこのエッセイを書き始めます。「この経験《けいけん》や感情を忘《わす》れるまいと直感的にそう思った」彼女は、書くことを通して、自分と対話しながらさきほどまでの時間を生き直し、うたかたのような経験《けいけん》や感情を言葉で生まれ変わらせ、文字として定着させました。それは、独《ひと》りではあっても、とても豊かな孤独《こどく》の時間だったことでしょう。

のちに彼女《かのじょ》が気まぐれに僕《ぼく》に読ませてくれたことで、このエッセイは本人以外の「読者」を獲得《かくとく》します。でも、もともとは、これは誰《だれ》かに評価《ひょうか》してもらうためではない、自分のために書かれた文章でした。そういう、自分のために書くことの価値《かち》を、僕《ぼく》たちはもっと大切にしていい。

このエッセイの書き手・ナナミさんは、もう高校生。でもいつかまた、人生のどこかで自分の文章に再会《さいかい》することがあるかもしれません。高校生の時、二十歳《はたち》の時、三十歳《さい》を過《す》ぎてから……。何歳《さい》になってからも、十三歳《さい》の彼女が見つめたある日のある瞬間《しゅんかん》の自分が、このエッセイの中にいます。その時々で、彼女は十三歳《さい》の自分とどんなふうに再会《さいかい》し、何を思うのでしょうか。

それは、文章を書く人だけが手に入れることができる、過去《かこ》の自分から今の自分に宛《あ》てて書かれた、思いがけずに届《とど》く手紙のようなもの。これもまた、書くことの大きな魅力《みりょく》の一つなのでした。

2　自分の物語をつくる

二〇二二年の夏のこと。仕事がとても忙《いそが》しく、心身ともに疲《つか》れてしまった僕《ぼく》は、どうにもたまらずにある日お休みをとり、早朝から一人で北八ケ岳《やつがたけ》の「苔《こけ》の森」を歩きました。梅雨《つゆ》明けの前、水分をたっぷり含《ふく》んだ木道をトレッキングシューズで歩いては、時折立ち止まって、ノートにメモを取る。通《つう》常《じょう》なら一時間ほどで歩ける道のりを、立ったり座《すわ》ったり、保温ボトルのお湯でカフェオレを飲んだりしながら、たっぷり二時間はかけたでしょうか。その時のメモをもとに書いたのが、次の詩です。

「森の時間」

朝の森では
フウリンゴケに覆《おお》われた倒木《とうぼく》が
動物のように眠《ねむ》っている
苔《こけ》は深いところまで湿《しめ》り
ふれるとたしかな鼓動《こどう》さえする

黒く、つややかな根の絡《から》まりから
音もなく水がしみる
小さな鳥が
根の間を小走りに飛んで消える
水は流れているのか
いないのか

葉の影《かげ》がうごくので
それとわかる

黒曜の森には山頂も
中心もない
ここでは
誰《だれ》もいそがなくていい

雨雲のあいだから
森に薄日《うすび》がさす
シラビソはようやくめざめ
葉は葉で
枝《えだ》は枝で
幹《みき》は幹で

空の明るさを浴びようとする

この詩を読み直すと、鬱蒼《うっそう》とした森の中を、苔《こけ》の呼吸を感じながら歩いたあの朝を思い出します。心身の緊張《きんちょう》を緩《ゆる》め、歩くリズムを取り戻《もど》し、周囲《しゅうい》の小さな生き物に目を向けるために、あの時の自分にはこの詩を書くことが必要だったのでした。書くことは、そんなふうに今も僕《ぼく》の生活を支えてくれます。

書くことについての、長い物語を旅してきました。書くことは発見です。書くことで書き手は自分の物語をつくり、言葉の力を借りてそれを形にできる。書き続けることで、あなたは自分をつくり、世界を創造《そうぞう》することができる。そういう書くことの楽しみが、例えばスポーツをしたり、イラストを描《えが》いたりするのと同じように、全員とは言わない、誰《だれ》かの生活の中にあればいい。僕《ぼく》はそう願って、この本を書き進めてきました。

学校や社会では、残念ながら、文章のうまい下手を他者と比較《ひかく》されることもあります。そんな中で、他者からの眼差《まなざ》しに苦しみ、書くことへの苦手意《い》識《しき》を強めてしまう人もいるでしょう。そういう時は、「書き手の権利10か条」をもう一度読んでみてください。そして、時には誰《だれ》にも見せずに、一人で、自分のために書いてみてください。世界をよく見て、思わぬ美しさを見つけるために。自分が何者なのか発見するために。そして、もしもあなたが見つけた世界を他の人とも分かち合いたくなったら、また、他者にそれを見せたらいい。

それさえできていれば、うまいとか下手だとか、本当はどうでもいいことなのです。

ただ、あなたが、自分の中にある物語を見つけて、それを言葉で紡《つむ》げますように。

その物語が、あなたらしくのびのびとしていますように。

書くことが上達する道も、きっとその先にあるのですから。

うまくなりたい、と思ったら

この本では、「うまく書く」ための方法をほとんど書いてきませんでした。でも、その方法を知りたい！という人のために、出発点になる五冊の本を紹介《しょうかい》します。

①書き慣れる

いしかわゆき『書く習慣』（二〇二一年、クロスメディア・パブリッシング）

文章がうまくなるたった一つのコツは、書き続けること。でも、苦手な人ほど、それが難《むずか》しいんですよね。この本では「続ける」に狙《ねら》いを絞《しぼ》って、ハードル低く書くための様々な方法が提《てい》案《あん》されています。書くのが苦手な人、まずはここから。

②物語を書く

はやみねかおる『めんどくさがりなきみのための文章教室』（二〇二〇年、飛鳥新社）

多くのヒット作を持つ人気作家が、学校の作文の手早い片づけ方から物語の書き方までを指南《しなん》。めんどくさがりな「ぼく」と猫《ねこ》のダナイとのやりとりで、読み物としても楽しく読めて、具体的な創作《そうさく》テクニックもたくさん学べるお得な一冊です。

③調べて書く
最相葉月《さいしょうはづき》『調べてみよう、書いてみよう』
（二〇一四年、講談社）

自分の好きなことや興味《きょうみ》のあることを、調べて書いてみる。そんなノンフィクションの魅力《みりょく》や書き方を伝えてくれるのがこの本です。テーマの決め方、インタビューの仕方、視点《してん》など、大事なコツが小中学生の例文とともに学べます。

④正しく書く
阿部紘久《あべひろひさ》『文章力の基本』
（二〇〇九年、日本実業出版社）

一文の長さ、文の構成《こうせい》、助詞の使い方やテン（読点《とうてん》）の打ち方など、伝わりやすい文章の書き方には一定のルールがあります。本書では、それを、例文のビフォーアフターで学べます。読み手に誤解《ごかい》なく伝えたいなら、読んで損《そん》はありません。

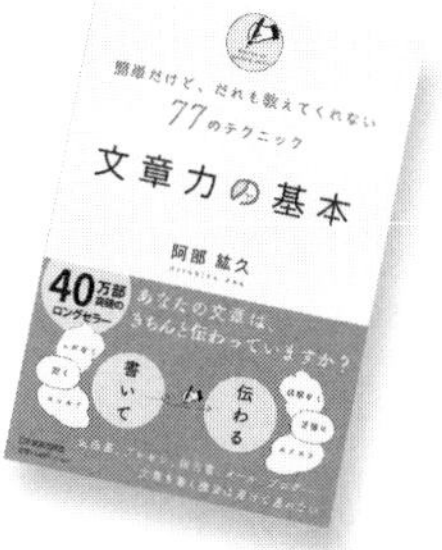

⑤工夫して書く
ながたみかこ『ふだん使いの文章レトリック』
（二〇二三、笠間書院）

同じことを、もっと魅力《みりょく》的に表現したい。そう思ったらレトリックの出番です。学校でも習う「比喩《ひゆ》」や「対句《ついく》」から、今まで知らなかったものまで、本書では文章を魅力《みりょく》的にする工夫＝レトリックが、たくさんの例文つきで紹介《しょうかい》されています。書くことの楽しさにハマった人には、ぜひ手にとってほしい一冊です。

あとがき

書くことについての本を書くはずだったのに、考え始めてから完成まで三年もかかってしまいました。国語教師のくせに恥《は》ずかしい限《かぎ》りですが、大人の僕《ぼく》でもそうなのだから、中高生の皆《みな》さんが締《し》め切りまでに作文を書けなくたって、気にすることはありません。

そんなことよりも、あなたが一人の書き手として、自分らしい物語を作っていくことの方が、はるかに大切です。『君の物語が君らしく』というタイトルに、その思いを込めました。

この言葉、実は僕《ぼく》が働いている軽井沢風越学園《かるいざわかざこしがくえん》小学六年生(当時)の遠藤千雛《えんどうちひな》さんが、「作家の時間」で作った作品集のタイトルとして考案してくれたものです。本書の執筆《しっぴつ》に苦労していた時期、僕《ぼく》はこの言葉にどんなに勇気づけられたか知りません。

また、本書には、小学五年生から中学一年生の、風越学園《かざこしがくえん》の児童・生徒の作品やノートも登場しますが、それもこの「作家の時間」で生まれました。本書への掲載《けいさい》を快《こころよ》く許可《きょか》してくれた皆《みな》さんに、心から感謝《かんしゃ》します。

本書を締《し》めくくるにあたって、他にも感謝《かんしゃ》したい人がいます。下書き原稿《げんこう》を読んでアドバイスをくれた、信頼《しんらい》できる助言者の森大徳《ひろのり》さん、中高生の代表として感想をくれた子どもたち、澤田初音《はつね》さんと澤田一暁《かずあき》さん。長い時間のかかった本書のライティング・プロセスをともにしてくれた、編集《へんしゅう》者の山本慎一さん。僕《ぼく》の読み書きへの関心を育てて、子どもの頃《ころ》の僕《ぼく》が書いた数々の「お話」を大事に保管《ほかん》してくれていた両親。そして、誰《だれ》よりも公私両面で僕《ぼく》を支えてくれ、持ち前の知性と記憶力《きおくりょく》で僕《ぼく》の人生を彩《いろど》り豊かに、楽しくしてくれている、妻《つま》の文恵さん。

皆《みな》さんのおかげで、本書は誕生《たんじょう》しました。どうもありがとう。

澤田英輔（あすこま）

澤田英輔

長い東京暮らしを経て、今は長野県の、幼稚園児から中学生まで一緒にすごす学校で働いています。浅間山と森をながめては、子どもたちと一緒に本を読んだり、お話やエッセイや詩を書いたりすることを楽しんで、読むことと書くことについて考える日々です。好きなお菓子はラムネ。学校でのニックネーム（呼ばれたい名前）は「あすこま」。その名前でブログも書いています。

岩波ジュニアスタートブックス
君の物語が君らしく ― 自分をつくるライティング入門

2024年4月19日　第1刷発行

著　者　澤《さわ》田《だ》英《えい》輔《すけ》

発行者　坂本政謙

発行所　株式会社 岩波書店
〒101-8002 東京都千代田区一ツ橋 2-5-5
電話案内 03-5210-4000
https://www.iwanami.co.jp/

印刷・三秀舎　製本・中永製本

ISBN 978-4-00-027256-8　NDC 816　Printed in Japan